U0137048

探索地理
未解之謎

地球是人類賴以生存的家園，

雖然科學已經有了長足的發展，

然而我們人類至今

還沒有完全瞭解這個藍色的星球。

譚龍曼———編著

前　言

　　地球是人類賴以生存的家園，雖然科學已經有了長足的發展，然而我們人類至今還沒有完全了解這個藍色的星球。地球是如何形成的？地球上的水到底是從哪裡來的？地磁極為什麼總是顛來倒去？這些問題，人類雖然一直在探索，卻還沒有找到答案。

　　許多的難解之謎，在人類的努力下，已經被破解。東非大裂谷是怎樣形成的？「幽靈島」為什麼時隱時現？流沙真的像電影裡看到的那樣恐怖嗎？飛來峰真的是從天上飛來的嗎？打開這本書，就能知道這些問題的答案。

　　大自然是一位神奇的藝術家，在大地上留下了許多傑作。在地下幾百米的洞穴裡，有無數的巨大水晶；在美國有一個美麗的彩色沙漠，那裡的沙子都是五顏六色的；在

非洲有一個湖泊，「湖水」是沸騰的岩漿；世界上最高的冰山，比黃山和泰山還要高……所有的這一切，讓我們對大自然油然產生敬意。

人類在地球上生活，也在大地上留下了自己的印記。你知道七大洲、四大洋名稱的由來嗎？你知道歐洲有哪些「袖珍國」嗎？你知道古羅馬人的「長城」是什麼樣的嗎？你知道鄭國渠是怎麼修建起來的嗎？讓我們一起去了解這些有趣的地理知識吧。

編者參考了大量地理文獻和資料，從地球奧秘、氣候氣象、地質環境、自然奇觀、礦產資源、人文地理等方面向讀者介紹地理上的未解之謎，並盡可能讓讀者了解種種神奇現象背後的真相。地球上還有無數的謎團等待我們去破解，還有無數未知的地域等待我們去發現。只要我們有一顆好奇的心，就一定能揭開所有的謎底。

編　　者

地球奧祕篇

氣候氣象篇

目錄

探索地理
未解之謎

探索地理
未解之謎

礦產資源篇

人文地理篇

地球奧祕篇

　　我們從降生的那一天起就生活在地球上，它是全人類共有的家園。但是這個我們自認為十分熟悉的星球，卻隱藏著許多至今仍不為人知的祕密。

地球是如何形成的

　　在中國的神話中，天地是盤古創造出來的。傳說盤古被包圍在混沌中，四周一片黑暗。他再也不能忍受黑暗了，就用神斧劈向四方。後來，清氣逐漸上升，變成了天空；濁氣逐漸下沉，變成了大地。為了不讓天地重新合併，盤古繼續施展法術，每當他的身體長高一尺，天空就隨之增高一尺。經過一萬八千年的努力，盤古變成一位頂天立地的巨人。此時，天空已升得高不可及，大地也變得厚實無比。最後，盤古耗盡了力氣，倒在地上死去了。當然，這只是個傳說。

　　那麼，我們的地球到底是怎麼形成的呢？

　　科學家們對天文觀測的結果進行研究後，提出了一種設想。大約在一百五十億年前，宇宙中所有的物質都高度密集在一點，有著極高的溫度，最後發生了巨大的爆炸。大爆炸以後，物質開始膨脹，逐漸形成了今天的宇宙。宇宙大爆炸釋放出大量物質和巨大的能量。

大約一百億年以前，銀河系裡瀰漫著大量的星雲物質，其中形成太陽系的那些碎片，被稱為太陽星雲。太陽星雲中不易揮發的固體塵粒相互結合，形成越來越大的環狀顆粒，並開始吸附周圍一些較小的塵粒，體積日益增大，逐漸形成了地球星胚。地球星胚在一定的空間範圍內運動著，並不斷地壯大自己。於是，原始的地球就形成了。

地球形成伊始，溫度較低。在許多隕石不斷地轟擊和放射性物質的衰變作用下，地球的溫度逐漸上升，內部越來越熱，局部開始熔化。這時，在重力的作用下，地球的物質開始分化，一些重的元素（如液態鐵）沉到地球中心，形成密度較大的地核，一些較輕的元素逐漸上升，把熱量帶到地表，冷卻後又向下沉。

這種對流作用控制下的物質運動，使原始地球產生了全球性的分異，演化成為分層結構的地球，即中心為鐵質地核，表層為由較輕物質組成的最原始的地殼，地殼與地核之間為地幔。

地球的層次結構的形成，是地球演化史上最重要的一步，它導致了地殼及大陸的形成。

相關連結

冥王星不再是行星

一九三○年，美國天文學家克萊德・湯博發現了冥王星。由於當時的天文學家錯估了冥王星的質量，以為它比地球還大，所以將它當成大行星。然而，經過近三十年的進一步觀測，人們發現它的直徑只有兩千三百公里，比月球還要小，而此時「冥王星是九大行星之一」早已被寫入教科書。二○○六年八月二十四日，國際天文學聯合會第二十六屆大會宣布，不再將冥王星視為行星，而是把它列入「矮行星」。

地球的大氣是從哪裡來的

地球在形成的過程中，一邊繞著太陽運動，一邊吸附運行軌道上的微塵和氣體。當地球剛由星際物質凝聚成疏鬆的圓球時，大氣不但分布在地球表面，而且還滲透到地球內部。後來，由於地心引力的作用，這個疏鬆的圓球開始收縮變小。在收縮時，地球內部的物質受到壓縮，使地球的溫度升高，與此同時，地球內部的空氣大量飛散到太空中。地球收縮到一定程度後，收縮速度開始變慢，它強烈收縮時所產生的熱量不斷流失。地球漸漸冷卻，地殼凝固了起來。這時，最後被擠出地殼的一部分空氣被地心引力拉住，圍在地球表面，形成了大氣層。

這時，由於溫度的下降，地球表面發生了冷凝現象。在很長一段時期內，地球內部因放射性元素的作用而不斷發熱，造成地層的大調整，使地殼的某些地方發生斷層和位置移動。許多岩石和地殼中的水在高溫中又繼續釋放出來，增添了江河湖海中的水量。被密封在岩

石或地層中的一些氣體，包括二氧化碳在內，也大量跑出來，充實了稀薄的大氣層。

這時，大氣上層已經有了許多水蒸氣，它們受到太陽光的照射，有些分解為氫和氧。這些分解出來的氧，一部分與氨中的氫結合，使氨中的氮分離出來；一部分與甲烷中的氫結合，使甲烷中的碳分離出來，這些碳又與氧結合成二氧化碳。這樣，大氣圈內空氣的主要成分就變為水汽、氮、二氧化碳和氧了。不過，那時候空氣中的二氧化碳比現在多，而氧則比現在少。有了氧，就為地球上生命的出現提供了極為有利的「溫床」。

大約在距今十九億年前，水裡面已經開始有生物出現。後來，陸地上逐漸出現了植物和動物。當時大氣中二氧化碳含量比較多，所以十分有利於植物的光合作用，使植物生長得極為繁茂。大量植物在進行光合作用時，吸收了大氣中豐富的二氧化碳，釋放出氧氣，使大氣中的含氧量不斷增加。在大約五億年前，地球上動物增加得很快。動物的呼吸，又使大氣中的一部分氧轉化為二氧化碳。

今天大氣的主要成分是氮，其次是氧，另外還有一些其他氣體，但所占比例是極其微小的。今天的大氣之所以形成這種狀況，是地球長期演化的結果。

天到底有多高

　　人們形容一個人無知，常說「不知天高地厚」。在科學高度發展的今天，我們已經可以明確地知道天有多高、地有多厚了。那麼，天到底有多高呢？

　　我們頭頂的天空，也就是大氣層，從下到上可分為五層，即對流層、平流層、中間層、暖層和散逸層。

　　對流層的平均高度為十一公里，在赤道約為十七公里，在兩極約為八公里。對流層內幾乎包含了大氣質量的四分之三，因此該層的大氣密度最大，大氣壓力也最大。這裡的大氣中含有大量水蒸氣，所以雨雪雲霧等天氣現象只產生在對流層中。另外，由於地形和地面溫度的影響，對流層內的空氣不僅在水平方向流動，也垂直流動。

　　從對流層頂端到離地面大約三十公里之間的區域稱為平流層。在平流層內，空氣只在水平方向流動，這種水平流動主要是由地球的自轉造成的。同時該層的空氣

溫度幾乎不變，始終保持在負五十六·五℃左右，所以又叫做同溫層。同溫層集中了全部大氣質量的近四分之一，所以大氣的絕大部分都集中在對流層和平流層，而且目前大部分的航空飛行器也只在這兩層內活動。

中間層是離地面三十公里到一百公里左右之間的區域。中間層內有大量的臭氧，大氣質量只占大氣總量的三千分之一。從這層開始稱為「高層大氣」。載人的高空飛行器可以達到這一層離地面三十四·五公里的地方，不載人的氣球還可以更高一點，到達離地面四十六公里處。這是大氣飛行器飛行高度的極限了。

中間層以上到離地五百公里左右就是電離層。這一層內含有大量的離子(主要是帶負電的離子)，它能反射無線電波，這對短波無線電通訊具有重要意義。在這一層內，空氣溫度從負九十℃升高到一千℃，所以又叫它暖層。

散逸層位於距地面五百公里到一千六百公里之間，有人稱之為「外大氣圈」。一千六百公里以上的大氣和宇宙空間就很難區分了。當然，哪裡是地球大氣上界的高度，不同的科學家有不同的看法。因此，要精確劃定大氣上界的高度，始終是科學研究的一個難題。

相關連結

飛機為何在平流層飛行

　　由於平流層內沒有垂直的空氣流動，飛機在這裡可以飛得非常平穩，所以噴氣式客機通常都在對流層頂端和平流層內飛行。波音七〇七的飛行高度為十點六公里，協和式超音速客機以亞音速飛行時的高度為十一・二公里，以超音速飛行時的高度為十八・三公里。

地球上的水是從哪裡來的

地球上的水究竟是從哪裡來的？一些人認為地球上的水來自地球內部，而另一些人則認為地球上的水來自宇宙空間。

多數的看法認為，原始的地球既沒有大氣，也沒有海洋，是一個沒有生命的世界。在地球形成後的最初幾億年裡，由於地殼較薄，加上小天體不斷撞擊地球表面，地幔裡的熔融岩漿上湧噴出，因此，那時的地球到處都是火海。隨同岩漿一起噴出的還有大量的水蒸氣和二氧化碳，這些氣體上升到空中並將地球籠罩起來。

地球

後來，地表溫度降到一百℃以下時，天空中的水蒸

青少年必讀百科探索叢書

氣才逐漸冷凝成水滴，並開始大量降落到地面。落在地上的水蒸發後又變成水蒸氣，水蒸氣形成雲層，再次產生降雨。經過長時間的降雨，在原始地殼的低窪處，積水不斷增加，形成了最原始的海洋。原始海洋的海水不多，約為今天海洋水量的十分之一。大約在六億年前，當地表溫度降至三十℃左右時，地球上的海洋就形成了今天的規模。

還有一種說法是，海水來自冰彗星雨。許多科學家認為，地球形成初期，彗星不停地撞擊地球。彗星是個「髒雪球」，在地球形成之初，太陽系內有一個彗星「倉庫」，估計包含著一萬億顆彗星，被稱為「柯伊伯帶」。

除了柯伊伯帶內有大量彗星外，一九五○年，荷蘭天文學家奧爾特指出，太陽系內還有一個彗星雲，後被稱為「奧爾特雲」，裡面也有上萬億顆彗星。柯伊伯帶是環形的，而奧爾特雲是球狀的。大概在地球還只有四億歲的時候，大量彗星撞擊地球。撞擊過程中，彗星中的水被釋放出來。水分子被地球引力和大氣層牢牢纏住，留在了地球上。日積月累，彗星撞擊地球後產生的水越積越多，最終成了現在的樣子。

一九八七年，科學家從人造衛星上獲得了高清晰度的地球照片。在分析這些照片時，發現了一些過去從未見到過的黑斑，或者說是「洞穴」。科學家認為，這些「洞穴」是冰彗星造成的。科學家們判斷，冰彗星的直徑多在二十公里左右。可想而知，當時有大量的冰彗星進入地球大氣層。經過數億年，或者更長的時間，地球表面得到了非常多的水，於是就形成了今天的海洋。

　　地球上的水究竟來自何方？這個問題至今還沒有定論。只有等到太陽系起源的問題得到解決後，地球起源問題、地球上的海洋起源問題才能得到真正的解決。

顛來倒去的地磁極

指南針之所以能指示方向，是因為地球像一塊大磁鐵，一邊是北磁極，一邊是南磁極。指南針被磁極吸引著，就能指示方向了。但是，如果你順著指南針指示的方向往前走，是到不了北極和南極的，因為地磁南北極和地理南北極根本就不在一個地方。地磁極和地理南北極方向的偏差，叫做磁偏角。科學家們發現，地磁的南北極的位置不是固定的，總是在靜悄悄地發生著變化。

一九六〇年，地磁北極在北緯七十四度五十四分、西經一〇一度處，地磁南極在南緯七十度、東經一四八度的地方。十年後，地磁北極已經遷移到北緯七十六度、西經一〇一度，地磁南極移到了南緯六十六度、東經一四〇度的地方。科學家們經過觀測，證實地磁極圍繞地理極附近進行著緩慢的遷移。

科學家利用古代岩石裡的剩餘磁性，測量出距今二‧八億年的二疊紀時，地磁北極在加拿大西海岸。當

時中國的大部分地方都在赤道附近，也就是今天的非洲一帶。科學家還發現，古時候地球磁極曾經發生過許多次倒轉。最近的一次發生在六十九萬年前，那時候地磁北極在地球南面，地磁南極則在地球北面。

地球的磁極為什麼會顛來倒去呢？多數地質學家認為，產生地球磁場的原因是外地核液態鐵的對流。液態的鐵流動起來，就像電流一樣，而電流是能產生磁場的。

美國科學家馬勒認為，在地下五千公里深的地方，是內地核與外地核的交界處，在那裡，外地核液態的鐵不斷結晶為固態的鐵。在這個過程中，會使外地核的液態鐵向內核的方向流動，在碰到堅固的內核後會返回。液態鐵流的往返運動使地球出現了磁場。

在正常時期，地球的磁場是比較穩定的，只會發生輕微的偏移，而不會倒轉，但是，當一個小行星或彗星以傾斜的角度撞擊地球表面時，地幔邊界處的沉積物質會被側向推移，厚重的沉積層劇烈振盪，破壞了外地核液態鐵流的正常流動，攪動了地下世界，地球的磁場會因此而發生倒轉，最後，地球磁場會緩慢地重建，並逐漸恢復常態。於是，地球磁極再次發生倒轉。

大陸真的在漂移嗎

十九世紀以前，人們還沒有開始系統地研究地球整體的地質構造，對海洋與大陸是否會變動，並沒有形成固定的認識。

一九一〇年的一天，三十歲的德國氣象學家魏格納像往常一樣，在看一幅懸掛在牆上的世界地圖，研究暖流、寒流在世界範圍內的走向。看著看著，他突然被一個奇妙的現象所吸引：大西洋的兩岸——歐洲和非洲的西海岸遙對著美洲的東海岸，這邊大陸的凸出部分正好能和另一邊大陸的凹進部分拼合起來；如果從地圖上把這兩塊大陸剪下來，再拼在一起，就能拼湊成一個大致上吻合的整體。把南美洲跟非洲的輪廓比較一下，更可以清楚地看出這一點：遠遠深入大西洋南部的巴西的凸出部分，正好可以嵌入非洲西海岸幾內亞灣的凹進部分。如果移動這兩個大陸，使它們靠攏，兩塊大陸不正好拼合在一起了嗎？

魏格納結合他的考察經歷，認為這絕非巧合，並形

成了一個大膽的假設：在距今三億年前，地球上所有的大陸和島嶼都連在一塊，構成一個龐大的原始大陸，叫做泛大陸。泛大陸被一個更加遼闊的原始大洋所包圍。後來，在大約距今二億年前，泛大陸先後在多處出現裂縫，每一裂縫的兩側，開始向相反的方向移動，裂縫擴大，海水侵入，就產生了新的海洋，相反地，原始大洋則逐漸縮小。分裂開的大陸各自漂移到現在的位置，形成了今天人們熟悉的陸地分布狀態。

一九六八年，法國地質學家勒比雄在前人研究的基礎上提出六大板塊的主張，它們分別是亞歐板塊、非洲板塊、美洲板塊、印度洋板塊、南極洲板塊和太平洋板塊。板塊學說很好地說明了大陸漂移的動力問題，使地質學在一個新的高度上獲得了全面的綜合。隨著板塊運動被確立為地球地質運動的基本形式，地質學也進入了一個新的發展階段。

那麼，巨大的陸地板塊怎麼會裂開，並向四面八方慢慢移動呢？原來，大陸是漂浮在熔融狀態的硅鎂層上的硅鋁層，就好像浮在水上的木板。由於太陽、月球的吸引力，以及地球自轉產生的離心力，加上地下深處岩漿運動的影響，大陸就會一塊塊分開，並慢慢移動了。

地球內部是什麼樣的

人們一直想了解地球內部的祕密，但是目前世界上最深的鑽孔深度只能達到地下十二公里處，連地殼都沒有穿透。要透過採樣的方式直接了解地球內部的結構，在很長一段時間內幾乎是不可能做到的。科學家透過科學手段，已基本摸清了地球內部的結構組成，並根據不同深度把地球分為地殼、地幔和地核三個部分。

地殼的厚度是不均勻的，一般大陸的地殼較厚，尤其是山脈地殼，平均厚度約三十二公里；海洋地殼較薄，一般為五到十公里。組成地殼的物質除了沉積岩外，基本上是花崗岩、玄武岩等有結晶構造的固態硅酸鹽類物質。花崗岩的密度較小，分布在密度較大的玄武岩之上，而且大都分布在大陸地殼，特別厚的地方則形成山嶽。海洋地殼幾乎或完全沒有花崗岩，一般是在玄武岩的上面覆蓋著一層厚約〇‧四到〇‧八公里的沉積岩。

地核的半徑約為三千五百公里。組成地核的物質的密

度約為每立方公分十克。地球中心的壓力可達到三百五十萬個大氣壓，溫度可達五千℃。在這種高溫、高壓的條件下，地球中心的物質猶如樹脂和蠟一樣具有可塑性。但對於短時間

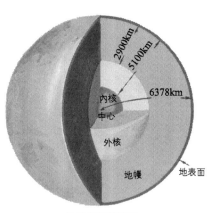

地球內部構造圖

的作用力來說，它卻比鋼鐵還要堅硬。科學家們推測地核可能是由鐵、鎳組成的。

　　地幔是介於地殼和地核之間的中間層，厚度將近二千九百公里，它的物質組成具有過渡性。靠近地殼的部分，主要是硅酸鹽類物質，含有很多鎂，只是氧化硅的成分比地殼裡的含量低；靠近地殼部分，則同地核的組成物質比較接近，主要是鐵、鎳金屬氧化物。地幔是地球裡面放射性物質集中的地方。由於放射性物質分裂的結果，整個地幔的溫度都很高，大致在一千℃到三千℃之間，這樣高的溫度足以使岩石熔化。地幔物質也具有一定的可塑性，但沒有熔成液體，可能局部處於熔融狀態，這已從火山噴發出來的來自地幔的岩漿得到證實。

地球到底有多重

古希臘科學家阿基米德曾說過：「給我一根足夠長的槓桿和一個支點，我就可以撬起地球。」那麼，地球到底有多重呢？阿基米德真的能用槓桿把它撬起來嗎？千百年來，很多人都想弄清楚這個問題，卻一直沒能找到正確的答案。

一七五〇年，英國十九歲的科學家卡文迪許向這個難題發起了挑戰。經過幾十年的研究，他終於秤出了地球的重量。那麼，他是怎樣秤出地球的重量的呢？原來，卡文迪許是運用牛頓的萬有引力定律秤出地球重量的。根據萬有引力定律，兩個物體間的引力與它們之間的距離的平方成反比，與兩個物體的重量成正比。這個定律為測量地球的重量提供了理論根據。卡文迪許想，如果知道了兩個物體之間的引力和距離，知道了其中一個物體的重量，就能計算出另一個物體的重量。

卡文迪許透過兩個鉛球測定出它們之間的引力，然

後計算出引力常數。兩個普通物體之間的引力是很小的，不容易精確地測出，必須使用非常精確的裝置。當時人們測量物體之間引力的裝置是彈簧秤，這種秤的靈敏度太低，不能達到實驗要求。卡文迪許利用細絲轉動的原理，新設計了一個測定引力的裝置；細絲轉動一個角度，就能計算出兩個鉛球之間的引力，然後計算出引力常數。但是，這個方法還是失敗了，因為兩個鉛球之間的引力太小了，細絲扭轉的靈敏度還不夠大。靈敏度成了測量地球重量的關鍵，卡文迪許為此傷透了腦筋。

有一次，他正在思考這個問題，突然看到幾個孩子在做遊戲。有個孩子拿著一塊小鏡子對著太陽，把太陽光反射到牆壁上，產生了一個白亮的光斑。小孩子用手稍稍地移動一個角度，光斑就相應地移動了很長一段距離。卡文迪許猛然醒悟：這不就是距離的放大器嗎？靈敏度可以透過它來提高啊！

於是，卡文迪許在測量裝置上裝了一面小鏡子。細絲受到另一個鉛球微小的引力，小鏡子就會偏轉一個很小的角度，但小鏡子反射的光會轉動一個相當大的距離，從而很精確地知道了引力的大小。利用這個引力常數，再測出一個鉛球與地球之間的引力。根據萬有引力

公式，他計算出了地球的重量是六十萬億億噸。現代測量的結果為五十九‧七六萬億億噸。

這個重量意味著什麼呢？如果真的有一個槓桿和支點，根據槓桿原理，阿基米德必須走到槓桿的另一端，才能撬動地球。透過計算我們可以知道，就算阿基米德每天二十四小時都以百米短跑的速度奔跑，跑完這段距離至少也要用三千萬年！

地球真的是圓的嗎

　　地球的形狀是「球」形的。不過，對於地球是圓形的認識，曾經歷了一個相當長的過程。西元前六世紀時，古希臘哲學家從球形最完美這一概念出發，認為地球是球形的。西元前三五〇年左右，古希臘哲學家亞里士多德提出了最有說服力的論據，證明地球是圓的。他的理由是：駛入大海的船隻，不論它朝什麼方向行駛，總是船身先從觀望者的視野中消失。另外，每當月蝕之際，不論月亮在什麼位置，地球在月亮上的投影總是圓的。如果地球不是球形的話，這兩種現象就無法解釋。

　　英國著名物理學家牛頓於十七世紀八〇年代提出了萬有引力定律。他從這個理論出發，提出地球由於繞軸自轉，因而就不可能是正球體，而只能是一個兩極壓縮，赤道隆起，像橘子一樣的扁球體。也就是說地球的半徑隨緯度的增加而變短，赤道的半徑最長，兩極半徑最短。法國天文學家里希爾在南美洲進行天文觀測時發現，擺

鐘是受地球重力作用才擺動的，但它在法國巴黎和在南美洲擺動的週期不同，他認為這是因地面上重力不同引起的，並進而說明地面重力變化的情況。里希爾的推測與牛頓的理論完全吻合。一七三五年和一七四四年，法國巴黎科學院兩次派出測量隊，分別赴北歐和南美進行弧度測量，測量結果證實地球確實為橢球體。

二十世紀五○年代以後，科學技術發展非常迅速，為大地測量開闢了多種途徑。特別是人造衛星上天，再加上電子計算機的運用和國際合作，使人們終於可以精確地測量地球的大小和形狀了。透過實測和分析，科學家們得到了確切的數據：地球的平均赤道半徑為六千三百七十八‧一四公里，極半徑為六千三百五十六‧七六公里，赤道周長和子午線方向的周長分別為四萬零七十五公里和三萬九千九百四十一公里。測量還發現，北極地區約高出十八‧九公尺，南極地區則凹進約三十公尺。

這樣看起來，地球的形狀像一個梨子：它的赤道部分鼓起，是它的「梨身」；北極有點尖，像個梨蒂；南極有點凹進去，像個梨臍，整個地球像個梨形的旋轉體，因此人們稱它為「梨形地球」。不過，由於地球非常巨大，所以這些特徵看起來並不明顯。

地軸為什麼是傾斜的

地軸是一個假想軸，地球始終不停地繞著這個假想的軸運轉，所以又叫地球自轉軸。這個軸通過地心，連接了南極和北極。科學家們研究後發現，地軸總是週期性地發生著改變。目前已知地軸約以四萬年為週期發生變動，變動幅度在二十二‧一度到二十四‧五度之間，現在地軸的傾斜度是二十三‧五度。

關於地軸產生傾斜的原因有很多種說法，科學界還沒有形成統一意見。其中「隕星撞擊說」較為流行。這種學說認為，地球在早期只是一顆小行星，靠引力不斷俘獲外來天體壯大自己，而外來天體都是高速運動的，所以俘獲的過程就是劇烈的碰撞。碰撞有正撞和側撞，最大的一次撞擊發生在四十五億年前，一顆很大的小行星從側面撞擊了地球，使地球旋轉起來。地球上被撞出去的物質和小行星結合形成了月亮，撞擊留下的大坑形成了海洋。如果沒有月球，地球就會搖擺不定，

甚至顛倒。月球的引力是地球自轉軸最好的穩定器，它使地軸指向北極星附近，並使地軸與公轉平面保持在六十六度三十四分，使地球有了四季。

另一種說法認為，地軸傾斜的主要原因是南半球大陸板塊向北半球漂移的結果。由於南半球大陸板塊不斷向北半球漂移，造成北半球員荷較重，使北半球地軸下沉，形成向南傾斜的地軸。透過計算，南半球與北半球大陸板塊的面積之比約為三比五，這正好與地軸傾角約二十三‧五度基本相符。

由於地軸傾斜二十三‧五度，使得太陽光直射地球的區域，會隨著地球在公轉軌道上位置的不同而改變。夏天時，太陽光直射北半球，使北半球溫度較高，從而形成夏天；南半球因為陽光斜射，得到的能量較少，因此溫度較低，形成冬天。半年後，太陽直射南半球，斜射北半球，因此南半球是夏天，而北半球是冬天。如果地軸是直立的，地球上就沒有四季之分。因為如果地球不是傾斜的，那麼太陽光將直射赤道，這使得越接近赤道的區域溫度越高，越遠離赤道的區域溫度越低。而且不論地球公轉到什麼地方，溫度都不會有太大的變化。那樣的話，熱的地方永遠熱，冷的地方永遠冷，當然就沒有四季變化了。

經度和緯度是怎麼來的

　　為了精確地表明各地在地球上的位置，人們給地球表面假設了一個座標系，這就是經緯度線。那麼，最初的經緯度線是怎麼產生的呢？

　　西元前三四四年，馬其頓的亞歷山大大帝率兵南進，繼而東征波斯帝國。隨軍地理學家第凱爾庫斯在繪製「世界地圖」時發現，沿著亞歷山大由西向東的東征路線，各地無論是季節變換還是日照長短，都很相近。他於是在地圖上畫了一條緯度線，這條線從直布羅陀海峽起，沿著托魯斯和喜馬拉雅山脈，一直到達太平洋。後來，埃及的埃拉托斯特尼計算出地球的周長，大約是四萬六千兩百五十公里，並畫了一張有七條經度線和六條緯度線的世界地圖。

　　西元一二〇年，集天文學家和地理學家於一身的克羅狄斯·托勒密，提出在地圖上繪製經緯線網的想法。他對地中海一帶重要城市的經緯度進行了測量，記錄了八千個地方的經緯度。為使經緯線能在平面上描繪出

來，他把經緯線繪成扇形，從而繪製出「托勒密地圖」。

到了十六世紀初，歐洲人已經知道地球是圓的。歐洲的地理學家用赤道面把地球平均分成南北兩部分，分界線叫赤道，赤道到南北兩極的距離一樣長。接著，他們又把赤道與兩極之間均分為九十等份。從赤道起，直至極點，赤道是〇度，極點是九十度。

地球有南極點和北極點，所以緯度很好確定。但是穿過兩個極點，環繞整個地球南北方向的圓圈，人們能夠畫出無數個，該把哪一條線定為「本初子午線」，作為東西半球的分界線呢？由於在許多西方人的傳統觀念中，耶路撒冷是世界的中心，於是很多人要求把穿過耶路撒冷的經線定為本初子午線。但是，許多國家都想把本初子午線劃在自己的國家裡。

經過協調，最終在一八八四年召開的國際會議上決定，以英國格林威治天文臺所在的子午線作為時間和經度計量的標準參考子午線，即「本初子午線」，在它東面的為東經，西面的為西經。地球是圓的，因此東經一八〇度和西經一八〇度的經線是同一條。各國公定一八〇度經線為「國際日期變更線」。為了避免同一地區使用兩個不同日期，國際日期變更線在遇到陸地時略有偏離。

日期的祕密

　　十六世紀初，英國的殖民者紛紛來到北美洲。他們從大西洋海岸逐步向西擴張，最後到達了太平洋海岸。十八世紀末，俄國人也從亞洲越過白令海峽，來到北美洲，占據了阿拉斯加地區。當俄國人遇見英國人時，英國人說：「今天是星期天，我要去教堂做禮拜。」俄國人卻說：「昨天才是星期天，今天是星期一。」到新年將近時，英國人正在迎接除夕，俄國人卻已經在過元旦了。這到底是怎麼回事呢？

　　十九世紀末，俄國貝加爾湖附近伊爾庫茨克郵政局的基莫費耶夫知道了這些事後，準備揭開這個祕密。他把世界主要城市的地方時間記在地球儀上，然後用檯燈當太陽，把伊爾庫茨克對準太陽，這時，伊爾庫茨克的時間應是當日正午十二點，而紐約正位於同它相對應的那條經線上，應該是子夜，芝加哥在紐約的西面，相隔經度約十五度，應該是晚上二十三點。問題是：芝加哥

當時的日期應該是哪一天呢？

國際日期變更線標誌

第二天，基莫費耶夫給芝加哥發出一份電報：「美國芝加哥郵政局長，盼告知收到電報的日期、時間。回電費已付。伊爾庫茨克郵政局基莫費耶夫。」這份電報是基莫費耶夫九月一日當地時間早晨七點發出的。很快，芝加哥的回電來了：「本人於八月三十一日九時二十八分接到來電。」基莫費耶夫接到電報後，百思不得其解。今天發出的電報，為什麼芝加哥那邊昨天就收到了？這到底是怎麼一回事呢？

後來，人們經過研究，終於明白了其中的道理，這其實是地球自轉造成的。我們都知道，地球在圍繞太陽進行公轉的同時，還在不停地自西向東進行著自轉。無

論何時，地球總有一面對著太陽，同時另一面背對著太陽。面對著太陽的一面是白天，背對著太陽的一面是夜晚。地球上不同經度的地方，時刻也不同。經度每隔十五度，時刻會相差一小時。

　　一八七九年，加拿大鐵路工程師伏列明提出了「區時」的概念。「區時系統」規定，地球上每十五度經度範圍作為一個時區，這樣，整個地球的表面就被劃分為二十四個時區。各時區的「中央經線」依次為〇度經線(即「本初子午線」)、東西經十五度、東西經三〇度、東西經四十五度……直到一八〇度經線。在每條中央經線東西兩側各七‧五度範圍內的所有地點，一律使用該中央經線的地方時間作為標準時刻。「區時系統」在很大程度上解決了各地時刻的混亂現象，使得世界上只有二十四種不同時刻存在。由於相鄰時區間的時差恰好為一個小時，這樣，各不同時區之間的時刻換算變得極為簡單。

　　這個建議在一八八四年的一次國際會議上得到認同，由此正式建立了統一世界計量時刻的區時系統。一百多年來，世界各地仍在沿用這種區時系統。

氣候氣象篇

　　地球就像一個舞臺，絢麗多姿的極光、漫天飛舞的雪花、狂暴肆虐的颱風和變幻莫測的海市蜃樓，在這裡上演了氣象萬千的精彩劇目。

極晝和極夜

北半球的盛夏時節，在北極圈內，太陽整日低低地懸掛在地平線上轉著圈子，散發著微弱的光芒，這就是極晝。與此同時，地球的南極圈內卻終日見不到太陽的影子，整日都是漫漫長夜，這就是極夜。相反，到了冬季，北極圈又成了極夜，南極圈則變成了極晝。

那麼，這種現象是如何產生的呢？

原來，地球環繞太陽運行的軌道是橢圓形的，太陽位於這個橢圓的焦點上。由於地球總是側著身子環繞太陽旋轉，所以地球自轉軸與公轉平面之間有一個夾角，而且這個夾角在地球運行過程中是不變的。這樣就造成了地球上的陽光直射點並不是固定不動的，而是不斷地南北移動。

在一年中的春分和秋分，太陽光直射在赤道上，這時地球上各地晝夜長短都相等。

春分以後，陽光直射點逐漸向北移動，這時，極晝

和極夜分別在北極和南極同時出現。直到夏至日時，太陽光直射在北迴歸線上，整個北極圈內都能看到極晝現象，而整個南極圈內都能看到極夜現象。

到冬至日時，太陽光直射在南迴歸線上，這時整個南極圈內都能看到極晝現象，而整個北極圈內都能看到極夜現象。

北極圈穿越挪威、瑞典、俄羅斯、美國和加拿大等國，這些地方都會出現「白夜」奇景。俄羅斯的摩爾曼斯克海港，每年有三個月以上不需要人工照明。

在北極地區，夏季出現「白晝」的地方，冬季卻是另一番景象。有些地方連續幾天是黑夜，有些地方則連續幾十天，甚至長達幾個月都是黑夜。

當「極夜」來臨時，在天空中見不到太陽。正午時分，星星卻閃爍著寒冷的光芒。挪威的哈默菲斯特是個北方海港，那裡的冬天有兩個月見不到太陽，人們只能在燈光下工作和生活。

南極地區由於沒有常住人口，只有各國的科學考察站，所以極晝和極夜對人們的生活影響並不大。

相關連結

極晝促進植物生長

在極晝出現的地區，植物的成長也加快了。如蒲公英，它的幼苗破土而出之後，很快就長得根壯苗旺。轉眼間，田野上成長的蒲公英結滿了蓓蕾，只需一、兩天工夫，就會遍地開花，一週之後，蒲公英就全都結出了毛茸茸的毬果。

青少年必讀百科探索叢書

為什麼會出現極光

　　在地球南北兩極附近地區的高空，夜間常會出現燦爛美麗的光團。它們輕盈地飄蕩在空中，忽明忽暗，發出紅色、藍色、綠色、紫色的絢麗光芒，它們就是極光。極光出現的時間有長有短，有時它們猶如節日的焰火，在空中閃現一下就消失得無影無蹤；有時它們可以在蒼穹之中持續幾個小時。極光是怎麼產生的呢？在很長的一段時間裡，這一直是人們猜測和探索的未解之謎。

　　住在北極地區的因紐特人中有這樣一個傳說：在大海和陸地的盡頭，有個巨大無比的深淵，在深淵的上面有條極其危險的羊腸小道，通往天堂。地球上空是一個由堅實的材料築成的半圓球形的穹頂，上面有個洞，鑽過去的鬼魂即可升入天堂。在這條小道上，有不少自殺的冤魂，還有攔路搶劫的死鬼。住在那裡的鬼魂常點亮火把為新來者照明道路，那些火把就是極光。在中世紀早期，不少北歐人相信，極光是騎馬奔馳越過天空的勇

士。十三世紀時，人們認為極光是格陵蘭冰原反射的太陽光。

隨著科技的進步，人們終於揭開了極光的奧祕。

十八世紀中葉，瑞典一家觀象臺的科學家發現，當該臺觀測到極光的時候，地面上的羅盤指針會出現不規則的方向變化，變化範圍有一度之多。同時，倫敦的地磁臺也記錄到類似的現象。由此他們認為，極光的出現與地磁場的變化有關。

科學家們經過研究終於明白了，美麗的極光是太陽風與地球磁場相互作用的結果。太陽風是太陽噴射出的帶電粒子，是一束可以覆蓋地球的帶電亞原子顆粒流。太陽風在地球上空環繞地球流動，以大約每秒四百公里的速度撞擊著地球磁場。地球的磁場形如一個漏斗，尖端對著南北兩個磁極，因此太陽發射出的帶電粒子沿著地磁場這個「漏斗」沉降，進入地球的兩極地區。兩極的高層大氣受到太陽風的轟擊後，會發生化學反應，發出光芒，即極光。高層大氣是由多種氣體組成的，含有不同元素的氣體受太陽風轟擊後所發出的光的顏色是不一樣的，所以極光顯得絢麗多彩，變幻無窮。

大多數極光出現在地球上空九十到一百三十公里的

地方，但有些極光要高得多。一九五九年，科學家測得一次北極光的高度是一百六十公里，寬度超過四千八百公里。觀看極光最佳的地方是鄉間的空曠地區，因為城市的燈光和高層建築會妨礙我們觀賞極光。在加拿大的丘吉爾城，一年中大約有三百個夜晚能見到極光。中國最北端的漠河，也是觀看極光的好地方。

奇異的龍捲風

一九〇四年夏天，莫斯科東南方向突然出現一個活動著的漩渦。烏雲下出現一條大「象鼻」，伸向地面，所過之處，屋頂被捲到空中飛舞，一棵百年大樹飛向天空，母牛也騰空而起。一個俄國士兵被吸進漩渦中心，飛得更高，轉眼間衣服被剝了個精光，赤條條地摔了下來。

一九五〇年夏天，美國俄克拉荷馬州的一對夫婦正在屋裡午睡，突然被一陣巨響吵醒。他們揉了揉惺忪的眼睛，沒料到看到的不是天花板，而是蔚藍的天空。他們立即從床上跳下來，發現房間裡空蕩蕩的，周圍殘留著半截牆壁，庭院中的房屋、樹木和家畜都不見了。

原來，這些都是龍捲風搞的「惡作劇」。

龍捲風有多變的外形、飛快的速度和巨大的威力。在雷雨雲的底部，有時會突然向地面垂下一個彎彎的雲柱，像一條長而窄的漏斗，又像一條長長的象鼻。這個「象鼻」上大下小，在空中游動。剎那間，地面的沙

石、塵土和各種物體就會被席捲到半空，飛舞飄移。有時，它伸向水面或海上，吸起高大的水柱。但是，幾分鐘之後，它卻消失得無影無蹤，一切又恢復了平靜。

龍捲風是怎樣形成的呢？原來，產生龍捲風的搖籃是雷雨雲。在雷雨雲裡，空氣流動十分厲害，溫度相差懸殊。在地面，溫度是二十℃左右，越往高空，溫度越低。在雷雨雲頂部的八千多公尺的高空，溫度竟在負三十℃以下。這樣，冷空氣急速下降，熱空氣猛烈上升，上下層空氣強烈對流，形成許多小漩渦。這些小漩渦逐漸擴大，上下層空氣的對流越來越強，終於形成了一個巨大的漩渦——龍捲風。因為它與古代神話裡騰雲駕霧的東海蛟龍很相像，所以人們稱它為龍捲風。此外，它還有不少的別名，如龍吸水、龍擺尾、倒掛龍等。

據統計，在每一個大陸國家都出現過龍捲風。每年，全世界可發生一千次以上的龍捲風。其中出現龍捲風較多的國家是美國、英國、紐西蘭、澳大利亞、義大利、日本等。中國各省幾乎都出現過龍捲風，西沙群島一年四季均可見到龍捲風。沿海的龍捲風有的與颱風有關，它們常出現在颱風到來之前。龍捲風在白天、夜間都能生成，但大部分在午後出現。

假太陽形成之謎

　　一二三三年四月的一天，在英國南部塞漢河流域的鄉間，天氣十分寒冷。破曉時分，就在一些農夫離家下田工作的時候，太陽從東邊樹林緩緩升起，帶來一場令人畢生難忘的奇景。淡藍的天空中，四個同樣光亮的圓球伴著太陽一道露面。圓球成對分列在太陽左右兩邊，天空中似乎有五個太陽。這道奇景從日出持續到中午時分，然後像最初出現時一樣神祕地消失了。古往今來，這種奇觀出現了很多次，科學家們把這種現象稱為「幻日」。

　　那麼，幻日是怎麼形成的呢？

　　天上的光環主要分為兩種。最常見的是在冬季出現的暈圈，它是因日光或月光遇到高層大氣中飄浮的冰晶產生折射形成的。還有一種是華環，有時會在夏季的陰天出現。稀薄的雲層中含有無數大小相同的細微水滴，能夠使光波產生「畸變」，華環便是因光波畸變造成

的。華環有時只有一個，有時會有幾個。暈圈和華環多數幾乎沒有顏色，但是也有一些色彩鮮豔奪目。較小暈圈的內層可能是鮮明的紅色，外緣則為藍白色。環繞太陽的光環通常不如環繞月亮的光環那樣明顯易見，因為太陽的光輝遮蓋了光環的色彩。

假如大氣的情況很不穩定，暈圈的形狀會變得異常複雜。暈圈環繞著太陽，閃耀著燦爛的彩色。這時，天空中會出現光亮的白光帶，叫做「幻日環」。沿著幻日環的周圍，會形成一些光亮的太陽的副影，這些太陽的副影被稱為「幻日」。太陽升得

幻日奇觀

越高，幻日與暈圈的距離就越遠。隨著太陽的逐漸上升，幻日會離開暈圈，變成類似彗星的形狀。

幻日環和普通的幻日，是太陽光照射在垂直飄浮的六角形冰晶上產生的。幻日環的白光來自冰晶的反射，幻日則是光線折射造成的。由於天空中的冰晶數量和排列形式的影響，幻日在靠近太陽的一邊，往往是紅色

的；在與幻日環相交的地方，則像是被拉長了。在極少見的情況下，幻日還可能有環繞本身的暈圈。這個暈圈的一部分會穿過幻日，或與幻日很接近。

一般情況下，幻日保持的時間不會超過兩小時，但有些幻日可以在天空中停留四、五個小時。通常到了中午時分，幻日就完全消失，只留下真太陽獨自朝西方落下去。

 **相關連結**

何時會出現幻日

幻日這種美麗的景象，一般出現在日落時分。但在寒冷的黎明時分，見到這種奇觀的機會更多。在北半球，幻日經常在春季出現，三月分最為常見。在南半球方面，幻日多數在晚秋出現。在南北極地區，這種景象很常見。

奇異的球狀閃電

球狀閃電俗稱滾地雷，是一種不太常見而又會造成一定危害的奇異閃電。球狀閃電通常在強雷暴天氣時出現，有時無雷雨天氣也會發生，一般出現在高山或潮濕地帶。這種閃電外觀呈球狀，直徑有大有小，小至一公分，大到十公尺，有紅、橙、綠、白等顏色。它的水平移動速度通常為每秒數公尺，有時能停在半空中不動或由空中向地面降落。球狀閃電存在的時間一般只有幾秒或十幾秒，最長不超過二十分鐘。球狀閃電消失時常伴有爆炸，發出巨響，有時也會無聲無息地消失。

十六世紀中葉，法國國王亨利二世的婚禮之夜，一個球狀閃電闖入內宮，將皇后燒死。一九四六年，蘇聯的一架大型飛機在北極考察。當飛機飛到沃洛格達州的一個森林地帶上空時，有一個白球穿過密封的機艙壁進入飛機，悄悄從駕駛艙移向無線電室。只聽見「轟」的一聲，電臺被擊中了，但損壞並不嚴重，很快就被修復了。

一九五六年的一天，中國東北地區大雨傾盆，一個火球闖入某村莊的一戶農舍，一連撞倒了幾個人，結果造成一人喪生，七人燒傷。一九八一年一月，蘇聯的一架飛機在黑海邊的索契市起飛。飛機升到一千兩百公尺高空時，一個直徑十公分的火球竄入駕駛艙，發出一聲巨響後就不見了。幾秒鐘後，它透過密封的金屬機壁，又出現在客艙之中。之後它又到了後艙，分成兩個半月形，繼而又合在一起，帶著響聲飛出了艙外。機上的雷達和部分儀表失靈，飛機頭尾外殼各有一個洞，飛機內壁和人員無任何損傷。另外，據報導，在美國尤尼昂維爾城發生的一次球狀閃電中，火球進入了一個家庭的電冰箱，把冰箱中的生鴨變成了烤鴨，蔬菜也全烤熟了。

從一八三八年起，科學家們就開始研究球狀閃電，有關的報告多達數千份，但是對此現象仍沒有令人信服的合理解釋。此外，關於球狀閃電的能量來源也有不同的說法。有人認為球狀閃電的能量貯藏在球體之中，有人則認為這種能量來自球體之外。

總之，球狀閃電不僅有趣，而且包含了很多祕密。一旦了解了它的本質，或許會對我們人類的生活產生深遠的影響。

中國夏季氣溫最高的地方

　　有人把南京、武漢、重慶稱為中國的三大「火爐」，但這三個地方並不是中國夏季最炎熱的地方。那麼，中國夏季最熱的地方在哪裡呢？它不在緯度較低的南部沿海地區，而是在緯度較高且深居內陸的吐魯番盆地。

　　一九七五年，中國氣象工作者曾在吐魯番盆地測得四十九‧六℃的高溫，創中國歷史上最高氣溫紀錄。這裡的地表最高溫度竟達八十二‧三℃。當地民間流傳著「沙窩裡蒸熟雞蛋，石頭上烤熟麵餅」的說法。為了驗證這一說法，曾有科學考察隊員把雞蛋埋在這個盆地的一個沙堆下，結果四十分鐘以後，雞蛋真的熟了。這裡每年日平均最高氣溫達四十℃以上的酷熱天氣就有二十五天左右。

　　火焰山位於吐魯番盆地，這裡是中國最炎熱的區域，夏季氣溫高達四十七℃。但是，若翻過山坡進入火焰山的山谷，則可以見到山泉和綠洲，讓人感到陰涼多了。火焰山靠近天山，高聳的博格達峰被冰雪覆蓋。在

炎熱的夏季，高山冰雪大量融化，火焰山山麓有源源不斷的冰雪融水流來。有些年分，以乾熱著稱的吐魯番盆地甚至還發生過水災。

火焰山

為什麼吐魯番盆地會出現如此高溫的天氣呢？

首先，儘管吐魯番盆地在北緯四十度以北，但在夏季，正午太陽光與地面的夾角還是相當大的。加上夏季白晝較長，天空又晴朗少雲，所以到達地面的太陽輻射熱量就很大。其次，吐魯番盆地深居內陸，具有明顯的大陸性氣候特徵。地面熱容量較小，受熱後溫度急劇上升，由於不像東部沿海經常有海風的影響，所以在同樣受熱的情況下，比東部沿海地區更易出現高溫天氣。再者，吐魯番盆地地表植被稀少，也缺少面積廣大的水域，蒸發和蒸騰導致的降溫作用不明顯。另外，吐魯番盆地地形相對封閉，大氣與外界交換作用也比較弱，易造成局部高溫。在上述因素的共同作用下，吐魯番盆地夏季氣溫很高，成了中國的「火洲」。

颱風是怎麼命名的

颱風是指風速達到每秒三十三公尺以上的熱帶氣旋。它就像水中的漩渦一樣，是在熱帶洋面上繞著自己的中心急速旋轉同時又向前移動的空氣旋渦。由於颱風移動時常常伴有狂風暴雨，氣象上給它取了一個與普通大風不同的名字——颱風。在大西洋、加勒比海和北太平洋東部地區，人們稱它為颶風。

為了區分不同的熱帶氣旋，人們給它們單獨取了名字。最初人們根據它們所處的位置來區分熱帶氣旋，由於熱帶氣旋經常移動，所以這種辦法並不能讓人們正確地區分不同的熱帶氣旋。到了十九世紀初，一些講西班牙語的加勒比海島嶼居民開始根據颶風登陸的時間命名颶風。

第二次世界大戰時期，美國人用女性的名字給熱帶氣旋命名。二十世紀七〇年代末，應美國女權運動組織的要求，美國擴充了熱帶氣旋的命名表，改用男性和女性的名字命名。這種做法不久便在西半球被廣泛採用。

二十世紀七〇年代，所有熱帶氣旋易發區都已使用命名系統，熱帶氣旋的命名走向了國際化。

西北太平洋地區一直沒有統一的颱風命名，美國關島聯合颱風警報中心使用的西北太平洋颱風名稱常被該區域其他國家採納，但許多亞洲國家並不接受。隨著亞洲的經濟起飛，亞洲國家更加重視自己的文化，越來越多的亞洲人希望使用自己的熱帶氣旋名字，而不是美國人取的名字。

亞洲太平洋地區有一個政府間的國際組織——颱風委員會，專門負責協調這一帶地區的颱風及其他氣象、水文事務。一九九七年底，在中國香港舉行的世界氣象組織颱風委員會第三十屆會議上，香港代表提出了給熱帶氣旋起名字的建議，立刻得到大多數成員的積極響應。一九九八年八月，颱風研究協調小組在北京專門召開會議，討論熱帶氣旋命名問題。經過認真討論，大會通過了命名方案，規定命名的原則是：每個名字不超過九個字母，容易發音，在各成員語言中沒有不好的意義，不會給各成員帶來任何的困擾，不是商業機構的名字，選取的名字應得到全體成員的認可。

一九九八年底，颱風委員會在菲律賓召開了第三十

一屆會議，通過了西北太平洋和南海熱帶氣旋命名表，共有一百四十個名字。這一百四十個名字分成十組，按順序循環使用。根據規定，一個熱帶氣旋在其整個存在過程中無論加強或減弱，始終保持名字不變。中國提供的名字是：龍王、玉兔、風神、杜鵑、海馬、悟空、海燕、海神、電母和海棠。

天上為什麼會下冰雹

一九六一年四月七日，一艘船停靠在卡塔爾某港口。下午時，忽然烏雲遮日，狂風大作，一場冰雹從天空中降下。冰雹下得很密，看上去只見白茫茫一片。下得最密時，能見度不足一百公尺。據目擊者稱，有的冰雹顆粒很大，直徑超過十公分。冰雹落在海上，濺起了一團團白色的水花。冰雹過後，船員們走出船艙，發現羅盤罩受冰雹打擊後，留下了兩公分深的凹痕。據說，還有人見到一塊重量約為三十六公斤的巨大冰雹塊。

一九八六年，孟加拉也曾下過一場驚人的冰雹，冰雹都如柚子般大小，近一百人在這場冰雹中死亡。二〇〇二年，中國鄭州受到如雞蛋般大小的冰雹襲擊，有七人因此喪命。一九八八年七月中旬，山西省原平縣遭受了三次特大冰雹的襲擊，有一萬多畝莊稼被毀，有二人在冰雹中喪生。

冰雹給人類造成了巨大的損失。那麼，這從天而降的冰雹是如何形成的呢？

在溫暖季節，地面局部受熱後會形成強烈的空氣上升運動。地面空氣上升後，隨著氣溫下降，空氣容納水汽的能力也急劇下降，於是大量的水汽就變成了小水滴或小冰晶，形成了濃厚的積雨雲。積雨雲中有一些水滴和冰晶被凍結成較大的冰粒，這些冰粒和過冷的水滴，被上升氣流輸送到含水量大的生長區，成為冰雹核心。雹核在上升氣流的攜帶下進入生長區後，在水量多、溫度不太低的區域與過冷水滴結合，形成一層透明的冰層。接著，雹核再向上進入水量較少的低溫區。這裡主要由冰晶、雪花和少量過冷水滴組成，雹核與它們黏合凍結，就形成了冰雹。這時冰雹已變大，而那裡的上升氣流較弱，當它托不住長大了的冰雹時，冰雹便從上升氣流裡下落。在下落過程中，冰雹不斷地併合冰晶、雪花和水滴，繼續變大。當它落到較高溫度的區域時，遇上冷水滴便形成一個透明的冰層。

這時如果落到另一股更強的上升氣流區，那麼冰雹將再次上升，重複上述的增長過程。這樣，冰雹就一層透明、一層不透明地增長。由於各次增長的時間、含水量和其他條件的差異，所以冰雹各層的厚薄也不同。最後，當上升氣流支撐不住冰雹時，它就從雲中落下來。

沙塵暴是怎樣形成的

二〇〇二年三月十八日，中國北方大部分地區自西向東經歷了一次強沙塵暴天氣。漫天沙塵滾滾而來，天空一片昏暗，樹葉上、車頂上積了一層厚厚的塵土。人們不禁要問，沙塵暴是從哪裡來的呢？

其實，沙塵暴並非中國特有的現象。世界有四大沙塵暴多發區，分別位於中亞、北美、中非和澳大利亞。中國的沙塵暴屬於中亞沙塵暴的一部分，主要發生在北方地區。

一九三四年五月十一日，美國西部颳起遮天蔽日的黑色狂風。這條黑風暴帶長兩千四百公里，寬一千四百公里，自西向東蔓延。所到之處，莊稼枯萎，牲畜死亡，城市天昏地暗。這場黑風暴整整颳了三天三夜，橫掃美國三分之二的國土。事後美國人意識到，這是因為人們在美國中部各州大量開墾草地而遭到的大自然的報復。

蘇聯從一九五四年起也盲目開墾荒地，到一九六三年共墾荒六千萬公頃，結果新墾荒地區風蝕嚴重。一九六〇年三月和四月間，黑風暴席捲了俄羅斯南部廣大平原地區。一九六三年的黑風暴更為嚴重，在哈薩克被開墾的土地上，受災面積達兩千萬公頃。

　　沙塵暴是在什麼情況下發生的呢？沙塵暴的形成必須具備四個條件：一是地面上有沙塵物質，它是形成沙塵暴的物質基礎；二是有大風，這是沙塵暴形成的動力基礎，也是沙塵暴能夠長距離輸送的動力保證；三是不穩定的空氣狀態；四是乾旱的氣候環境。春季沙漠的邊緣地區，由於長期乾旱，而且地表少有植被覆蓋，大風來臨的時候，地表的沙塵很容易被吹起。如果風持續的時間很長，空中的浮塵能夠被輸送到很遠的地方，所經過的地區就會出現沙塵暴；當風速減弱到一定程度後，浮塵就會降落，該地就會出現降塵天氣。如果此時降水，就會形成所謂的「泥雨」。

　　要防止沙塵暴，人類可採取的措施是：在植被遭受破壞的地區增加植被覆蓋率，尤其是在那些地表分布著細小沙粒的荒地、裸地上，要儘快恢復自然植被覆蓋；同時，要堅決禁止濫墾濫伐的行為；對那些不宜耕作但

已開墾的土地，應逐漸恢復其原有植被。

　　當然，沙塵暴也並非一無是處。有專家指出，沙塵物質呈鹼性，它能夠有效地中和酸雨。現在日本全國大多下酸雨，但每當出現浮塵天氣時，降雨的酸性便隨即消失。濃厚的沙塵層能夠反射太陽光，對抑制全球變暖也有一定的作用。沙塵粒還可以成為水汽凝結的核心，使天空中雲量有所增加，一定程度上緩解了乾旱地區的旱情。沙塵粒子降落到海中，給海洋生物帶來了營養物質，有利於海洋植物和浮游生物的生長。

避雷針為什麼能避雷

　　一七五二年六月的一天，英國在北美洲的殖民地費城的天空陰雲密布，電閃雷鳴。科學家弗蘭克林和他的兒子威廉一起來到一個空曠地帶。弗蘭克林把裝有金屬桿的風箏高高舉起，威廉則拉著風箏線飛跑，風箏被放上了高空。一道閃電掠過，弗蘭克林用手靠近風箏上的鐵絲，立即感到了一

雷電

種令人戰栗的麻木感。他抑制不住內心的激動，大聲呼喊：「威廉，我被雷電擊中了！」接著，弗蘭克林開始用萊頓瓶收集雷電。事後，弗蘭克林用萊頓瓶收集的雷電做了一系列的實驗，證實了雷電與普通的電完全相同。一七五三年七月二十六日，俄國科學家利赫曼為了驗證弗蘭克林的實驗，不

幸被雷電擊中身亡。弗蘭克林得知這個消息後，決定研製出一種避免雷擊的裝置。

弗蘭克林在自己家屋頂高聳的煙囪上，安裝了一根三公尺長的尖頂細鐵棒。他在細鐵棒的下端綁上金屬線，然後沿著樓梯把金屬線引到底樓的一個水泵上（水泵與大地有接觸）；將經過房間的那段金屬線分成兩段，且將兩股線相隔一段距離，各掛一個小鈴，這樣，如果雷電擊中細鐵棒，經過金屬線進入大地，那麼兩股線受力，小鈴就會晃蕩，並發出響聲。

一天，電閃雷鳴，暴風雨就要來了。守候在房間小鈴旁的弗蘭克林聽到了小鈴發出的清脆悅耳的聲音，他知道自己的實驗成功了。後來，弗蘭克林把那根細鐵棒稱為「避雷針」。

避雷針發明出來以後，教會曾把它視為不祥之物，說是裝上了弗蘭克林發明的這種東西，不但不能避雷，反而會引起上帝的震怒而遭到雷擊，但是，在費城等地，拒絕安裝避雷針的一些高大教堂，在大雷雨中相繼遭受雷擊，那些比教堂更高的建築物，由於裝上了避雷針，在大雷雨中安然無恙。避雷針的效用得到了證實，很快傳遍了北美，後來又傳到了歐洲。

那麼，為什麼避雷針能避雷呢？

實際上，避雷針的作用不是避開雷電，而是將雷電吸引到自己身上來。在雷雨天氣，高樓上空出現帶電雲層時，避雷針和高樓頂部都被感應上大量電荷。當雲層上聚集的電荷較多時，避雷針與雲層之間的電荷互相感應，把雷電引到自己身上來，再透過導線把雷電導入大地，從而使建築物免遭雷擊。

海市蜃樓是怎麼回事

　　人們在平靜無風的海面航行或在海邊遠望時，往往會看到空中映現出遠方的船舶、島嶼或城堭樓臺的影像；在沙漠旅行的人有時也會突然發現，在遙遠的沙漠裡有一片湖水，湖畔樹影搖曳，令人向往。可是當大風一起，這些景象就突然消逝了。原來，這是一種幻景，叫做海市蜃樓。

　　為什麼天空中會出現海市蜃樓呢？要解答這個問題，得先從光的折射談起。我們可以拿一個玻璃杯，倒入大半杯水，放在太陽光下，再把一根筷子放入杯中。這時，你會看到筷子好像被折斷了一樣，這就是光線折射造成的。光在同一密度的空氣中行進時，速度不變，始終沿直線方向前進；但當光傾斜地由空氣中進入水裡的時候，由於水的密度比空氣大得多，光的速度和前進方向就會發生改變。

　　海市蜃樓的出現與地理位置、氣候條件以及那些地

方在特定時間的天氣狀況有密切聯繫。蜃景分上現蜃景、下現蜃景和側現蜃景等類型。上現蜃景和側現蜃景是水面上空出現的海市蜃樓，成正像。下現蜃景是沙漠地帶出現的海市蜃樓，成倒像。

夏季沙漠中烈日當頭，沙土被曬得十分灼熱。因為沙土的比熱小，溫度上升極快，沙土附近的下層空氣溫度上升得很高，而上層空氣的溫度仍然很低，這樣就形成了氣溫的反常分布。由於熱脹冷縮，接近沙土的下層熱空氣密度小而上層冷空氣的密度大，這樣空氣的折射率是下層小而上層大。當遠處較高物體反射出來的光從上層較密空氣進入下層較疏空氣時，被不斷折射，其入射角逐漸增大。當入射角增大到等於臨界角時，會發生全反射。這時，人要是逆著反射光線看去，就會看到許多倒立的景物。由於倒影位於實物的下面，所以叫下現蜃景。

如果是海上，在我們的東方地平線下有一艘輪船，一般情況下，我們是看不到它的。因為海面濕度大，來自輪船的光線會先由較密的空氣層折射進入稀薄的空氣層，並在上層發生全反射，又折回到下層較密的空氣層中來。光線經過這樣彎曲的線路，最後投入我們的眼

中，我們就能看到輪船的正像。由於人的視覺總是感覺到物像是來自直線方向的，因此我們所看到的輪船影像比實物抬高了許多，所以叫做上現蜃景。

　　無論哪一種海市蜃樓，只能在無風或風力極微弱的天氣條件下出現。大風一起，引起了上下層空氣的攪動混合，上下層空氣密度的差異減小了，光線沒有什麼異常的折射和全反射，所有的幻景就會立刻消逝。

地質環境篇

　　對於人類來說，地球是人類生存的大環境，地質環境既能造福於人類社會，也能給人類帶來巨大的災難。

地 震 之 謎

地震給人們造成巨大的危害，但是，地震的成因是什麼？這一謎團迄今為止還沒有完全解開。

在中國流傳著這樣一個傳說：地底下有一條大鰲魚，馱著大地。時間久了，鰲魚就要翻一翻身，於是大地就抖動起來，地震就發生了。地震到底是怎麼發生的呢？隨著科學的發展，科學家們開始深入研究地震波，並取得很多成果。對於地震形成的原因，人們相繼提出不同的假說。

早在一九一一年，雷德就根據美國一九○六年舊金山大地震時斷層的活動情況，提出了「彈性回跳學說」。他認為，地殼的岩層由於應力的積累而產生形變，當積累的應力超過了岩層的強度時，岩層破裂，原來形變中蘊含的彈性能量釋放出來，從而形成地震。大量的研究資料表明，太平洋的一些深海溝地區，地震總是伴隨著斷層和裂縫發生的，同時在大陸上的地震多發地帶也是

這樣。因此,這一學說為大多數地震學者認同。

但是對於深度超過七十公里的深層地震來說,這種學說就存在很多問題。於是人們又相繼提出岩漿衝擊說、相變說、地幔對流說、溫度應力說等新觀點。

一九五五年,日本的鬆澤武雄提出,有許多地震是由地下的岩漿衝擊,產生巨大的熱應力而產生的。火山熔岩的侵入、空隙流體壓力的急劇增高都能引起地震,深源地震可以由岩漿流動而引起,不一定都是由斷層引起。這就是所謂的「岩漿衝擊說」。

美國學者布里奇曼等人則提出了「相變說」。他們認為,數百公里以下的地層內壓力極高,溫度也很高,物質呈塑性。在巨大的摩擦之下,不會有什麼彈性破裂。在那種條件下,深源地震是由於物質的結晶狀態發生改變引起的。在相變過程中,物質的密度會突然改變,從而引起體積的突然變化,造成類似爆炸的效果,釋放出巨大的地震能量。

相信隨著科學家的不斷研究,人們早晚會揭開地震之謎。

相關連結

水庫引起的地震

　　有的地區，由於建造了大型水庫，水庫蓄水之後，庫底斷層結構受力狀態發生改變，也會引發地震。贊比亞西沙峽谷水庫蓄水量達一千五百五十億噸。一九六〇年五月，水庫開始蓄水。一九六二年三月，該地區地震開始增加。至一九六三年九月，地震活動達到高潮，相繼發生了六級左右的地震。隨後，地震活動逐漸減弱。

奇妙的「石頭書」

人類文明的歷史只有幾千年，和地球漫長的歷史比起來，簡直微不足道。那麼，人們用什麼辦法來了解地球的歷史呢？地質學家發現，覆蓋在原始地殼上的層層叠叠的岩層，是一部地球幾十億年演變發展留下的「石頭書」。這種岩層在地質學上叫做地層。地層是以成層的岩石為主體，隨時間推移而在地表低凹處形成的構造，是地質歷史的重要紀錄。地層從最古老的地質年代開始，層層叠叠地不斷堆積。先形成的地層在下面，後形成的地層在上面，越靠近地層上部的岩層形成的年代越短，就像一本編好了頁碼的書。

地層在形成以後，由於受到地殼劇烈運動的影響，會改變了原來的位置，產生傾斜甚至倒轉。但只要能查明其形成和變形的時間，仍可以恢復其原始的層序。在同一時間，地球上各處環境不同，在不同環境中形成的地層各有特點。在地表的隆起部位，不僅不能形成新的

地層，還會因受到剝蝕而使已經形成的地層消失。這就好像一本書的頁碼被打亂了，讓人無法正常地閱讀。

　　不過，科學家們自有辦法，他們用測定岩石中放射性元素和它們蛻變生成的同位素含量的方法，作為測定地層年齡的「計時器」。放射性元素在蛻變時，速度很穩定，而且不受外界條件影響。在一定時間內，一定量的放射性元素分裂多少分量、生成多少新的物質，都有個確切數字。例如，一克鈾在一年中有七十四億分之一克裂變為鉛和氦。因此，我們可以根據岩石中現在含有多少鈾和多少鉛，算出岩石的年齡。地層是由岩石組成的，這樣我們就能得知地層的年齡。

　　如果說地層好比是記錄地球歷史的一本書，地層中的岩石和化石就像這本書中的文字。古生物是指地質歷史時期在地球上生存過的各類生物，大多已經絕滅，它們的少量遺體和遺跡形成了化石，保存在地層中。透過研究這些化石，我們可以了解地質歷史上生物的形態、構造和活動情況。對各種古生物化石進行分類，可以弄清生物的演化關係；根據古生物的分布和生活習性，可以推測出當時地理環境的特點。

南極為什麼有煤田

　　許多國家在南極設立了科考站，人們在南極大陸上發現了很多煤田，許多煤田甚至直接露出地面。這些煤田主要集中在南極橫貫山脈沿羅斯海岸的一段，煤層的厚度從幾公分到幾公尺不等，最厚的達到五公尺。科學家考察後得出結論，在東南極洲的冰蓋下，煤的蘊含量大約有五千億噸。在南極的維多利亞橫斷山中，有一個巨型煤田，面積達一百萬平方公里，被稱為「維多利亞煤礦」，是世界上最大的煤田。

　　不過，由於開採和運輸費用十分昂貴，不到萬不得已，人們是不會開採這些煤礦的。也許將來的某一天，沉睡在這片土地裡的資源終究會得到合理的利用。

　　我們都知道，煤是古生代或中生代植物的遺體變成的，那時的地球是暖濕氣候，蕨類植物和裸子植物長得十分茂盛，大量植物遺體在湖邊或淺海邊被河流帶來的泥沙掩埋，逐漸碳化，最後變成了煤。但是，被冰雪覆

蓋的南極洲是如此寒冷，寸草不生，根本沒有什麼植被，地底下怎麼會有那麼多煤呢？地質學家經過近二、三十年的考察後發現，南極洲的地層構造與非洲、大洋洲和南美洲的非常相似，南美洲的太平洋安第斯山褶皺帶直接延伸到南極大陸。南極洲的煤系地層在成煤時代、植物組成及沉積特徵等方面，也和這些大陸的煤系地層相同或相似。這說明南極洲和這些大陸原本是一體的。

地質學家認為，南極大陸原本是個氣候溫暖、植物茂盛的地方。三億年以前，七大洲是連在一起的，叫聯合大陸。其南半部叫岡瓦納古陸，由南美洲、非洲、印度、澳大利亞和南極大陸組成。岡瓦納古陸氣候溫暖，植物茂盛，形成大片森林。地質學家發現了三種南極古老落葉植物的化石遺骸，同時被發現的還有許多樹葉的化石。據專家分析，這些樹木並不是矮小的灌木，因為從樹幹的直徑來推算，有些樹木可以長到二十四公尺高。

兩千四百萬年前，南美洲安第斯山脈和南極半島斷開，形成德雷克海峽。南極大陸被完全孤立了，並由此造成環極洋流，使南極氣候迅速變冷，戴上了永久的冰雪之蓋。分裂出來的南極大陸緩緩向南漂移，最終移到現在的位置，它地底下的各種礦藏也隨之漂移到這裡。

隕石坑裡的祕密

　　隕石坑是太陽系裡的小行星脫離了自己的運行軌道，撞上另一個星球而產生的衝擊坑。

　　當重達幾噸甚至上百噸的隕石以超高速撞向地球時，可以產生高達數百萬個大氣壓的衝擊波壓力。如此巨大的衝擊波會將地面撞出圓形或橢圓形的凹地——隕石坑。與此同時，衝擊波以超音速前進，產生一千五百℃以上的高溫，不僅使地表岩石中的物質迅速熔化、氣化、變形、變質，而且能引起隕石中的成礦元素遷移、富集，形成礦床。

　　加拿大有個世界聞名的德貝里銅鎳礦床。科學家們認為，德貝里銅鎳礦床是隕石撞擊地面的傑作。因為這個礦床恰恰處在長徑六十公里、短徑三十公里的橢圓形隕石坑邊緣，而且其成礦元素銅、鎳、鈷等不是來自地球，而是來自隕石。

　　地球上發生的一樁樁隕石撞擊事件，除了形成隕石

坑和一些礦床外，還可能隱藏著更大的祕密，影響了地球的演化和生命的發展。人們發現六千五百萬年前，在地球史上白堊紀和第三紀之間形成的沉積岩層中，銥和其他重金屬元素出奇地豐富。銥並不是地殼的造岩元素，而是典型的隕石元素。與這個異常現象相聯繫的，是這一時期動物種屬的大量滅絕。雄霸地球長達一億六千萬年的巨型爬行動物恐龍，就是在這個時期慘遭滅種之災。

位於墨西哥尤卡坦半島的契克蘇勒伯隕石坑，直徑有一百九十八公里。科學家認為，這個隕石坑是六千五百萬年前一顆直徑為十到十三公里的小天體撞出來的。科學家們認為，正是這顆巨大的隕石撞擊了地球，產生了強烈的衝擊波和衝擊壓力，造成灰塵和煙霧遮天蔽日。地球長期被黑暗籠罩，植物的光合作用停止，動物的食物鏈遭到破壞，最後導致恐龍滅絕。也有人認為是巨大的隕石撞擊地球後，大氣發生了變化，臭氧層遭到破壞，大量紫外線穿「洞」而入，直射地面，使大地生靈遭到毀滅性的破壞，恐龍因此而滅亡。

科學家們發現，在南極大陸極點附近的冰下有一個直徑兩百四十公里，深八百公尺的隕石坑。大約七十萬

年前，一顆小行星就是在這裡擊中了地球，結果導致地軸方向和地球自轉速度發生了改變。美國科學家從衛星照片上發現，在浩瀚的撒哈拉大沙漠裡有一個直徑四公里的多邊形隕石坑。在強勁的風沙的侵蝕下，隕石坑邊緣已被嚴重磨損。科學家根據隕石坑形成的時代分析，測量出了風沙對岩石的磨蝕速率。因此，隕石坑又為風沙地貌學研究提供了有價值的資料。

　　隕石坑裡藏著許多的祕密，等待著我們繼續去研究和了解。

東非大裂谷是怎樣形成的

　　東非大裂谷氣勢宏偉，景色壯觀，是世界大陸上最大的斷裂帶，從衛星照片上看去，猶如地球的一道巨大的傷疤。裂谷寬約幾十至二百公里，深達一千至二公里，谷壁如刀削斧劈一般，長度相當於地球周長的六分之一。東非大裂谷是全非洲最高的地帶，總面積五百多萬平方公里，占非洲面積的六分之一以上。非洲的幾座海拔在四千五百公尺以上的高峰，全部分布在這個區域內。東非大裂谷幾乎跨越了東部非洲所有的國家，其中在埃塞俄比亞境內的部分最長。

　　東非大裂谷一直是古人類考古的中心之一。二〇〇〇年，法國和肯亞科學家在東非大裂谷的古人類考古有了一系列重大發現。他們找到了距今約六百萬年的肯亞圖幹山「千年人」化石。化石證明「千年人」已具備了強健的下肢，可以直立行走，其牙齒和下顎結構與現代人非常接近。在「千年人」之前，科學界廣為接受的最早人類化石

「露西」也是在東非大裂谷發現的。「露西」是身高約一‧○六公尺的雌性古猿，屬於正在形成中的人類。除了「露西」，東非大裂谷北部圖爾卡納湖發現的兩百五十萬年前的人類化石也被認為是人類的祖先之一。因此，人們稱東非大裂谷為「人類的搖籃」。

東非大裂谷

這一巨大的裂谷帶是怎麼形成的呢？

地質學家認為，在一千多萬年前，由於地殼的斷裂作用，形成了這一巨大的陷落帶。板塊構造學說認為，這裡是陸塊分離的地方，即非洲東部正好處於地幔物質上升流動強烈的地帶。在上升流的作用下，東非地殼抬升形成高原。地幔物質上升時流向兩側相反的方向，使

地殼的脆弱部分斷裂、下陷而形成裂谷帶。

　　還有科學家提出，隨著板塊構造的運動，地球內部向上噴出大量岩漿，在非洲東部形成了一條裂谷，導致這一地區的降水規律被破壞，非洲東部的雨林逐漸消失。正是由於東非大裂谷一帶的特殊地質運動，迫使這一地區的古猿不得不告別樹生生活，走出森林，直立活動，並最終導致了人類的出現。

圖瓦盧會被海水淹沒嗎

圖瓦盧位於南太平洋，由九個環形珊瑚島群組成，南北兩端相距五百六十公里，由西北向東南綿延散布在約一百三十萬平方公里的海域裡。它的陸地面積僅有二十六平方公里，首都富納富提位於主島上，方圓不超過二平方公里。圖瓦盧海拔最高的地點只有四·五公尺，而侵襲島上最大的巨浪是三·二公尺。

從一九九三年年到如今，圖瓦盧的海平面總共上升了十公分左右。按照這個數字推算，五十年之後圖瓦盧至少將有百分之六十的國土徹底沉入海中。漲潮時，圖瓦盧將不會有任何一塊土地露在海面上。二〇〇一年十二月，圖瓦盧領導人宣布將放棄祖國。圖瓦盧政府曾考慮在鄰近國家購買土地，建立國中之國。但圖瓦盧太窮，拿不出太多的錢買地，最好的辦法是舉國移民。事實上，圖瓦盧人已經開始陸陸續續地告別自己的國家，有的去了美國，有的遷往紐西蘭。迄今為止，已有五千

多名圖瓦盧人在紐西蘭安了家。

為什麼圖瓦盧會面臨被海水淹沒的危險呢？這一切都是全球變暖造成的。有資料顯示，在過去的一百年中，全球陸地氣溫平均升高超過〇‧五℃，而且高緯度地區增溫現象十分明顯，增溫幅度大大超出全球平均水平。數據顯示，一九九八年的全球平均氣溫比十九世紀末高出將近〇‧七℃。從現在起到二一〇〇年，地球溫度將上升一‧四到五‧八℃。全球變暖會造成極地冰川大量融化，加上溫度上升使海水體積膨脹，海平面會不斷上升。

那麼全球變暖的原因是什麼呢？人們認為，全球氣候變暖的原因有兩個：一是燃燒煤炭、天然氣等產生了大量溫室氣體；二是人們肆意砍伐原始森林，使得植物吸收二氧化碳的能力下降。

大氣層和地表這一系統就如同一個巨大的「玻璃溫室」，使地表始終維持著一定的溫度，產生了適於人類和其他生物生存的環境。在這一系統中，大氣既能讓太陽輻射透過而到達地面，同時又能阻止地面輻射的散失，我們把大氣對地面的這種保護作用稱為「大氣的溫室效應」，造成溫室效應的氣體稱為「溫室氣體」。溫

室氣體可以讓太陽短波輻射自由通過，同時又能吸收地表發出的長波輻射。這些氣體有二氧化碳、甲烷、氯氟化碳、臭氧、氮的氧化物和水蒸氣等，其中最主要的是二氧化碳。

近百年來，全球氣候正在逐漸變暖，與此同時，大氣中溫室氣體的含量也在急劇地增加。許多科學家都認為，溫室氣體的大量排放所造成的溫室效應加劇，可能是全球變暖的基本原因。

 相關連結

二氧化碳是全球變暖的「元兇」嗎

有些科學家對二氧化碳含量增加，是造成全球變暖的主要因素的觀點持不同意見。他們指出，近百年來大氣層中二氧化碳的含量一直是上升的，但二十世紀四〇年代後氣溫卻有所下降。在距今八千年前到距今六千年前之間，全球溫度也曾上升三℃到四℃，這也不能用二氧化碳濃度增加來解釋。他們認為，全球氣溫升高的影響因素很多，全球變暖的原因可能比人們想像的復雜得多。

神出鬼沒的「幽靈島」

　　一八三一年七月的一天，格雷姆船長駕駛著海船在地中海破浪前進。當船行至西西里島以南時，他突然看到前面的海面像燒開的水似的不停地翻騰，之後又聽到一陣陣來自水底的轟鳴聲，整個海區都在微微地顫抖。悶雷般的轟鳴聲持續了約莫二十分鐘之後，海面上有一股巨大的煙柱衝天而起，一排排巨浪向四周海域排山倒海般地擴展開來。離煙柱數公里之外的格雷姆船長和他的水手們都聽到了海水被煮沸的聲音，他們還看到了被燙死、震傷的魚類和其他海洋動物在海面漂浮、掙扎。七月十七日，格雷姆船長返航時再次經過這裡，大海似乎已恢復了往日的平靜，卻出現了一座高出水面幾公尺的小島。

　　大海上突然出現一座小島的特大新聞轟動一時，人們將其定名為「格雷姆島」。更令人驚奇的是，這個小島在不到一個月的時間內長高了六十多公尺。可是，四

個月後，當一組地質學家專程前去考察時，卻發現那裡只有一片海水，根本沒有什麼小島。有趣的是，一個世紀之後，格雷姆島再次出現在海面上。一九五〇年，當幾個國家的外交官們正為格雷姆島的主權歸屬爭得不可開交時，小島又悄悄地消失了。

這個小島為什麼會如此出沒無常呢？這種現象引起了現代科學家們的密切關注，並專門對此做了科學調查。經過研究，科學家們得出結論，這類島嶼的形成是海底火山活動的結果。海底分布著八十多座活火山，占地球上活火山總數的六分之一。這些海底活火山既是製造「幽靈島」的能手，又是製造新的島嶼的功臣。大海中的許多島嶼就是由火山噴發的熔岩堆積起來而形成的，如大西洋中的亞速群島、加那利群島，太平洋中的夏威夷群島、阿留申群島，它們都是著名的火山島。

為什麼同是海底火山爆發製造的島嶼，有的成為堅實的島嶼，而有的卻成了「幽靈島」呢？

冰島的科學家曾派出一個鑽井隊去火山島蘇爾特島，在一個懸崖下鑽進了一百八十一公尺，一直鑽到了原來的海底岩石。他們從鑽孔中取出了一百五十七公尺的岩芯，發現除了一層岩脈外，其他全部由多孔的玄武

岩組成。因此，科學家們認為，蘇爾特火山的噴發物，除了火山灰、火山泥團外，還湧出了大量的岩漿，凝固成了堅固的岩層，因此比其他的新島結實，能夠經受住浪濤的沖蝕。但是，有些新長出的島嶼，因為缺少堅固的岩層，組成島嶼的火山灰和火山泥團很快被海浪沖沒了，小島也就消失了。下一次火山噴發時，又會在相同的地方出現新的島嶼。

冰川是怎麼形成的

冰川像一條銀色的固體「河流」，從積雪的高山上順著山谷伸展下來，在日光的照射下閃閃發光，壯觀極了。

那麼，冰川是如何形成的呢？

要形成冰川，首先得有一定數量的固態降水，如雪花和冰雹等，並且這些固態降水要能保存下來。在地球的南北極和高山地區，氣候嚴寒，年平均溫度在〇℃以下，常年積雪，所以這裡有很多冰川。在高山上，要想形成冰川，除了要有一定的海拔高度外，高山還不能過於陡峭。如果山峰過於陡峭，降落的雪會順著山坡不斷下滑，積雪就無法增加，也就不能形成冰川。

我們知道，高度每增加一千公尺，氣溫就會下降六℃。當海拔超過一定高度，那裡的氣溫就會降到〇℃以下，降落的固態水就能常年存在。這一海拔高度被稱為雪線。雪線以上的區域，從天空降落的雪和從山坡上滑

下的雪，會在低窪的地方聚集起來。由於低窪的地方一般都狀如盆地，所以被稱為粒雪盆。粒雪盆是冰川的搖籃。

聚集在粒雪盆裡的雪經過一系列變質作用，逐漸變成顆粒狀的粒雪。粒雪之間有很多氣道，這些氣道彼此相通，因此粒雪層非常疏鬆。底部的粒雪在上層的重壓下發生了緩慢的沉降壓實和結晶作用，粒雪相互聯結合併，空隙越來越小。同時，積雪表面的融水下滲，部分凍結起來，使粒雪的氣道逐漸封閉，被包圍在冰中的空氣就成為氣泡。這種冰由於含氣泡較多，顏色發白，有人把它叫做粒雪冰，粒雪冰進一步受壓，排出氣泡，就變成了冰川冰。

美麗的冰川

冰川冰最初形成時是乳白色的，經過漫長的歲月，冰川冰變得更加致密堅硬，裡面的氣泡也逐漸減少，慢慢地變成晶瑩剔透、如藍色水晶一樣的巨大冰塊。冰川冰在自身重力和冰層的壓力下，開始沿著山坡緩緩移動，就形成了冰川。

　　根據冰川的形態特點，可將冰川分為大陸冰川和山嶽冰川兩大類。大陸冰川又稱為「冰坡」或「冰原」，是覆蓋著整個島嶼與大陸的巨大冰體。山嶽冰川又稱為「高山冰川」，發育於山地。根據山嶽冰川的形態，可分為懸掛冰川、冰斗冰川、山谷冰川、山麓冰川等。

 **相關連結**

中國的冰川

　　中國的冰川都屬於山嶽冰川，主要分布在新疆、青海、甘肅、四川、雲南和西藏六省區。其中西藏的冰川數量多達兩萬兩千四百六十八條，面積達兩萬八千六百四十五平方公里。中國冰川中面積大於一百平方公里的達三十三條，其中完全在中國境內的最大的山嶽冰川是音蘇蓋提冰川，面積為三九二‧四平方公里。

流沙是怎麼形成的

北宋時期，宋神宗即位後，曾調遣一支部隊向安南（今天的越南）進發。一天，這支部隊正緊張地跋涉在行軍途中，突然，前衛的一名士兵驚呼「救命」。

原來，他的雙腳陷進了流沙裡，進退兩難，而且越使勁拔腿身體就越向下陷，另一名士兵前去營救，也很快陷進了流沙裡。面對這突如其來的險情，前衛士兵們驚慌失措，不知如何是好。這時，從後面來了一個騎馬的軍官，他剛想上前看個究竟，還沒等說上一句話，也連人帶馬陷了進去，上去搭救的人又接連遭到了滅頂之災。後面的部隊一見這種情形，頓時亂作一團。人們丟下已陷入流沙中的兵馬輜重，急匆匆地離開了這個可怕的地方。

在電影中，我們時常可以看到這樣一種令人毛骨悚然的場景：旅行者不幸陷入流沙中，拚命地掙扎喊叫，結果整個人眨眼間便被流沙吞沒得無影無蹤。

那麼，流沙到底是怎麼回事呢？

從地質學的角度講，流沙主要分為兩種：一種是沙漠地區裡不固定的隨風吹而流動轉移的沙堆，被稱為乾流沙。它是由於空氣進入沙粒中間的空隙，使得沙粒變得鬆散而形成的。這種流沙不含任何水分，人很難陷入其中。另一種是含水的疏鬆沙性土，特別是粉沙土和細沙土發生液化、流動的沙土，宋兵陷入的流沙就是這種沙土。這種流沙才是真正危險的。

其實，絕大多數流沙和一般沙的區別不大，並沒有電影中描述的那麼可怕。它只是被滲入了水的沙子，由於沙粒間的摩擦力減小，形成了半液態、難以承重的沙水混合物。

流沙通常出現在海岸附近，一般挺淺，很少有超過半公尺深的。陷在流沙中的人僅感到胸部有些壓力，呼吸較困難，並不會有什麼生命危險。因為一旦流沙表面受到運動干擾，就會迅速「液化」，表層的沙子會變得鬆軟，淺層的沙子也會很快往下跑，這就使得在流沙上面運動的物體下沉。然而，隨著下沉深度的增加，從上層掉到底層的沙子和黏土逐漸聚合，便會形成厚實的沉積層，使沙子的黏性快速增加，阻止物體進一步下陷。

人一旦陷入流沙後，大力掙扎或是猛蹬雙腿只會讓人下陷得更快。有人誤以為透過搖動能使身體周圍的沙子鬆動，從而有利於將肢體從流沙中拔出。科學家指出，這是錯誤的做法，這種運動只會加速黏土的沉積，增強流沙的黏性，胡亂掙扎的人只會越陷越深。

沙漠下面的「海洋」

撒哈拉沙漠東西長五百六十公里，南北寬一千六百公里，橫臥在非洲北部，占非洲總面積的四分之一，是世界上最大的沙漠。在那裡，一百年也難得下一場雨。

撒哈拉沙漠裡的人們世世代代都在尋找著稀缺的水源，後來，人們終於在那裡找到了大量的地下水。在國際水利專家的幫助下，利比亞人透過勘測，在南部沙漠下方數公里的地層深處發現了巨大的含水層，面積約四十萬平方公里，水層厚達數百公尺，是世界上最大的含水層之一，簡直是一個「地下海」。按每年抽水二十五億立方公尺計，一百年後水位僅下降五十公分。這些水在地下蓄水層儲存了四萬年之久，水質純淨，被稱為「化石水」。

這樣多的水，意味著什麼呢？

這些水相當於非洲第一大河尼羅河兩千年來的全部流量。如果把它完全抽到地面上，可以把利比亞全國淹

沒在一百公尺深的水下。有了這樣多的水，改造沙漠就有希望了。

一九八三年，利比亞政府決定實施「大人工河」計畫，把南部沙漠的地下水抽上來，用管道遠距離輸送到北部沿海地區，並形成全國統一的地下供水管網。坐落在撒哈拉大沙漠周圍的國家也不甘落後，都想分享一點兒「地下海」的好處。一場開發撒哈拉地下海的熱潮，在非洲大地上蓬勃開始了。

那麼，乾旱的撒哈拉大沙漠下面，怎麼會生成這樣大一個「地下海」呢？

原來，這是遙遠的古代遺留下來的「化石地下海」。很久很久以前，撒哈拉地區的氣候非常濕潤。這裡在五千年前曾是草原和沼澤地帶，年降水量超過三百毫米。這種濕潤的氣候曾在撒哈拉地區持續了四萬年之久，使大量的地表積水滲入地下，在岩石層中保留了下來。後來，撒哈拉地區由於氣候越來越乾燥，才逐漸變成今天黃沙漫漫的樣子。

地處澳大利亞內陸的西澳州乾旱地區也有一個巨大的「地下海」。這個「地下海」位於西澳州的奧非色盆地，長七百公里，寬兩百公里，儲水量相當於四千兩百

個悉尼港灣的水量，可提供西澳州首府帕斯四千年的用水。西澳州是澳大利亞最乾旱的地區，那裡擁有儲量豐富的金礦和鐵礦，許多礦藏因缺水而無法開採。「地下海」的發現，不僅可以解決該地區水資源短缺的問題，還有利於該地區工業經濟的發展。

　　科學家們警告說，這些巨大的「地下海」存水量雖然很大，如果無限制地任意開採，它們就會逐漸萎縮消失。到那時候，沙漠中的許多綠洲也會永遠消失。

被魚兒吃掉的小島

　　在南太平洋上，有個面積不到五百平方公尺的無名小珊瑚島。它處在洲際航線旁，對於海上軍事活動和商業航運具有重大戰略意義。美國的情報機構在這兒偷偷地安裝了海面遙感監測器，並與天上的一顆軍事間諜衛星遙相呼應，使獲得的情報可直接傳送到美國國防部所在地——五角大廈。凡是從小島附近經過的商船、軍艦以及在此出沒的潛水艇，無不在五角大樓的監視之中。

　　一九九〇年夏季的一天，小島的監測系統突然失靈，五角大廈再也沒有收到任何信息。美國國防部非常震驚，他們懷疑是蘇聯的間諜發現了小島的祕密，有意破壞了美國安放的監測器。於是，美國派出一支以演習為名的艦隊，悄悄地調查此事。誰知，當這支龐大的艦隊趕到出事地點時，卻驚愕地發現，那個珊瑚島已不復存在了。珊瑚島以珊瑚石為底基，十分堅固，是不可能被海流沖走的，除非是發生了強烈的地震或海嘯，使小島沉入水中。但是根據美國氣象衛星觀

測的資料顯示，失蹤的小島附近很長一段時間內，並未發生任何地震或海嘯。

如果是蘇聯人摧毀了小島，那麼至少需要幾千噸炸藥才能將整個小島炸毀。但該島一直處在美國的軍事間諜衛星的監視之下，這麼大的軍事行動不可能不被發現。再說，就算是蘇聯間諜發現了這裡的

珊瑚島

祕密，他們只要毀掉島上的遙感監測器就行了，何必把整個小島毀掉，暴露自己的行蹤呢？五角大樓一時陷入了迷惑之中。

後來，還是澳大利亞的科學家們解開了這個謎題。

一九九〇年秋，澳大利亞人發現珊瑚海北側的兩個珊瑚島莫名其妙地失蹤了。兩年後，又有五個珊瑚島相繼消失。後來，有人發現其中較大的一座珊瑚島漂移到了其他地方。此外，還有人發現大堡礁周圍有大片大片的珊瑚礁在不斷地消失。這種反常的現象引起了澳大利亞政府部門和科學家的強烈關注，他們專門組織了一支

科學調查小組，對珊瑚島和珊瑚礁的失蹤原因進行調查。他們在珊瑚海中捕捉到一種狀如飛碟的怪魚，終於解開了這個謎。

這種魚名叫星魚，體長達一公尺左右，長著十六條銳利的爪子。爪子是星魚取食的工具，上面密布著毒刺，能排泄出一種具有化骨軟石功效的汁液，既可用於軟化食物，又可用來防身禦敵。星魚很愛吃珊瑚和珊瑚礁石，而且胃口大得驚人。一條星魚每晝夜要吃掉二平方公尺左右的珊瑚礁，當牠們群起奪食時，小珊瑚島很快就被牠們消滅了。美國安放監測器的小島就是被牠們吃掉的。大珊瑚島的根部如果被星魚咬斷，就會被強勁的海流沖走，漂流到水淺的地方停下來。

小島消失之謎雖然解開了，但是一些住在珊瑚島上的人卻很擔心，如果星魚的數量不斷增多，珊瑚島必將面臨滅頂之災。目前，科學家們正在全力研究對策。

形形色色的試劍石

　　鎮江北固山下有一塊試劍石，直徑約三公尺，被攔腰剖開，一半直立著，另一半翻落在地。傳說三國時劉備前往東吳招親，孫權一面與劉備飲酒談笑，一面卻想囚禁他，逼他交出荊州。席間，劉備出殿來到一塊巨石前，拔出所持之劍，仰天祈禱：「若能返回荊州，成就霸業，揮石兩段；如死於此地，剁石不開。」他手起劍落，火光飛濺，石頭裂開了。孫權在後面看見了，也持劍暗中默禱：「若能取得荊州，興旺東吳，砍石成兩半。」隨之舉劍向石頭劈去，頓時聲震石裂。後人便在巨石上鐫刻上三個醒目的大字——「試劍石」。

　　虎丘是蘇州著名的風景名勝，那裡的一塊巨石中間有道裂縫，又平又直，像是刀削斧砍一般，也叫試劍石。這塊試劍石相傳是春秋時吳王夫差試劍留下的遺蹟。吳王夫差酷愛寶劍，命令當時著名的鑄劍大師干將和他的妻子莫邪精心鑄劍。經過百日冶煉，夫妻二人終

於鑄成兩把寶劍，劍名便叫「干將」和「莫邪」。為了試驗寶劍是否鋒利，夫差拿起「干將」朝身旁的巨石砍去，巨石立即開裂，留下了這道深縫，試劍石由此得名。

在各處試劍石之中，尤其令人驚嘆不已的，是桂林符波山的試劍石。符波山裡有個還珠洞，洞中有一根丈餘高的灰白色的乳狀石柱，離地一寸多高。岩石間的縫隙光潔平滑，就像是利劍把石柱砍斷的一樣。相傳東漢的馬援號稱伏波將軍，他奉命遠征交趾。大軍整裝待發的時候，他就近選了一個大石柱，一劍砍斷，表達視死如歸的決心。

當然，關於這些試劍石的故事都是傳說，古代的寶劍是無法砍斷如此巨大的石塊的。那麼，這些試劍石又是怎麼形成的呢？從地質學觀點來看，這些地方的地質狀況各不相同，試劍石的形成原因也不同。

鎮江的那塊試劍石為凝灰岩和凝灰角礫岩，是約一‧五億年前的火山噴發時形成的。試劍石上的裂縫實際上是約八千萬年前的地質構造運動造成的。地質構造運動使原來相連的焦山、象山斷開並產生巨大的裂縫，同時也使整個北固山的岩石產生許多縱橫交錯的裂隙。在試劍石東面約十多公尺的岩壁上，可以看到許多與試

劍石相似的平直陡立的裂縫。據考證，這些裂縫和試劍石的裂縫是同期形成的。這說明試劍石是地質作用的結果，並不是劉備、孫權劈開的。

虎丘的山體主要由一種含二氧化硅成分很高的火山噴出岩組成，由於二氧化硅含量高，噴出時岩漿的黏度很大，往往會形成很大的岩塊。經過熱脹冷縮，岩塊中產生巨大的裂縫。由於流水的長期侵蝕，縫隙變得更寬，也更平整，看起來就像刀砍的一樣，這就是虎丘試劍石形成的基本原因。

桂林的試劍石實際是一塊鐘乳石，為溶洞岩頂下垂的一種碳酸鈣的沉積物。它的成因是含有碳酸鈣的水從洞頂滲出下滴時，由於水分蒸發和二氧化碳的逸出，使水中的碳酸鈣澱積下來，由上而下慢慢增長，逐漸地接近地面。後來滲水停止，鐘乳石停止生長，就像一個被砍斷根部的石柱一樣。

太湖形成之謎

　　太湖是中國著名的大湖之一，水面面積為兩千四百二十平方公里。臨湖遠望，只見煙波浩渺，遠處水天相連。太湖是一個淺水湖泊，平均水深僅二‧一公尺，最深處為四‧八公尺。多年以來，不少科學家一直在探索太湖的成因。

　　一些學者認為，太湖形成是由於太湖平原受到了海水的入侵，形成了一個大的海灣。以後，由於長江口南岸和錢塘江北岸兩大沙嘴不斷增長，使這一海灣逐漸被封閉，成為潟湖，太湖及其周圍的湖群都是由潟湖演變而來的。

　　還有學者認為，距今五千萬年前，一顆巨大的隕石從東北側方向撞擊地面，造成相當於一千萬顆廣島原子彈爆炸的巨大衝擊，留下了兩千三百多平方公里的隕石坑，即現在的太湖。因為科學家們在太湖內的島上和太湖四周發現有隕石撞擊地球後出現的擊變岩。更有力的

證據是，太湖底部基岩面上有大量的宇宙塵和熔融玻璃。太湖西南岸線呈圓弧形，很像隕石從東北方向撞擊地面而留下的痕跡。

二十世紀八十年代，南京地理研究所的專家對太湖進行了湖底地層測定。他們發現太湖湖底沒有一般潟湖所具有的淤泥，也沒有在湖底地層中找到海相生物的化石，因而斷定太湖不是由海灣演變而成的湖泊。同時，他們認為太湖也不是隕石撞擊地面形成的。從太湖的面積看，如果是隕石撞擊而成的話，隕石坑應該相當深。但太湖一帶的隕石坑很淺，這與質量巨大的隕石撞擊地面理應形成較深隕石坑的情況不相符。即使隕石進入大氣層後發生爆炸裂成一些碎片，那麼也應在太湖底部找到一些較深的小坑，但實際上太湖水相當淺，也不存在這種較深的小坑。

科學家發現，太湖湖底的黃土地層與金壇、常州一帶地面所出露的黃土是連成一片的。在這些黃土層上，還有一系列的被淹沒的河道與窪地，這些河道與現在的太湖出口大體吻合。經過對這大片平原的陸續發掘，人們發現了大量的古脊椎動物骨骼和古文化遺址。出土文物包括六千年前的石器、黑陶、夾砂陶、印陶、古稻穀

和各種編織工具，還有亞洲象、劍馬象、納馬象的骨骼化石。這就表明，早在六千年前，古人就已在這裡定居，從事農耕生活。因此，南京地理研究所的專家們認為，太湖原來是衝積平原上的河道和窪地，後因宣洩不暢才積水成湖的。

太湖究竟是怎麼形成的，至今人們還有不同的看法。今後隨著研究的深入，人們最終一定能夠解開太湖形成之謎。

有趣的劫奪河

長江從青海玉樹縣境內進入橫斷山區的部分，被稱為金沙江。金沙江流經雲貴高原西北部、川西南山地，到四川盆地西南部的宜賓為止，全長兩千三百一十六公里，流域面積三十四萬平方公里。

金沙江和怒江、瀾滄江等大河幾乎彼此平行地一齊向南流淌，在這三條河流中，金沙江在最東邊。起初，金沙江也是由北向南流的，可是當它流經雲南省境內的石鼓村北時，江流突然折向東方，而後又轉向北。在只有幾公里路的距離內，江水差不多來了個一百八十度的轉彎，形成了一個非常不自然的大拐彎。這個大拐彎，被人們稱為「天下第一灣」。金沙江流過石鼓以後，坡度驟然加大，江水在只有幾十公尺寬的深谷中呼嘯奔騰。江的兩岸，一邊是玉龍雪山，一邊是哈巴雪山，從江底到峰頂落差達三千多公尺，形成了世界上最壯麗的峽谷，也就是大名鼎鼎的「虎跳峽」。

地質學家考察後發現，這個大拐彎是古長江在石鼓村附近劫奪金沙江後形成的，所以把它命名為「石鼓劫奪灣」。一般來說，一條河流之所以能夠劫奪另一條河流，是由於這一條河流的侵蝕能力很強，分水嶺向另一方移動而造成的。一般是水面較低而水量較大的河流，劫奪水面較高的河流。河流在劫奪之前，兩河之間的分水嶺已被侵蝕得很低很平了。當洪水暴發時，河流的溯源侵蝕突然加強，從而導致河流劫奪現象。河流劫奪常發生在兩條垂直方向的河流之間。

　　河流劫奪發生以後，劫奪其他河的河叫做劫奪河，被劫奪的河叫做被劫奪河。被劫奪河的上游段，因被劫奪而改變方向流入劫奪河，所以稱為改向河。被劫奪河改變流向所形成的顯著的彎曲河段，稱為劫奪灣。被劫奪河的下游河段流向不變，但上游已被劫去，故稱為斷頭河。

　　被劫奪河原有谷地的一部分成為劫奪河與斷頭河的分水嶺，即所謂的「風口」。「風口」的河谷中堆積有其原來上游改向前被流水帶來的非本地的礫石，成為河流發生劫奪的重要證據。

　　長江為什麼會劫奪金沙江呢？有人認為是由於揚子

期四川盆地下沉，長江水位下降，溯源侵蝕加速而造成的；也有人認為是四川和雲南之間的山嶺上升，從而引起長江劫奪金沙江；還有人認為是橫斷山區斷裂上升、新構造運動和溯源侵蝕相結合的結果。其實，以上諸說並不矛盾，而且可以相互補充。四川盆地下沉，四川、雲南間山嶺上升，均可使長江水位下降，引起溯源侵蝕加強；若循橫斷山斷裂破碎帶上溯，就更能加快侵蝕的速度；西部新構造運動的上升與四川盆地新構造運動趨向下沉，與長江溯源侵蝕的加劇相一致。

白堊紀的「龐貝古城」

　　龐貝城是位於亞平寧半島的一座歷史悠久的羅馬古城，在維蘇威火山西南十公里處。公元七十九年，維蘇威火山大爆發，整個龐貝城都被火山灰掩埋。一七八四年，考古學家在火山灰層裡面發現了這座古城，城中的一些人、動物和其他東西被保存得非常完好，栩栩如生。在中國，有一個地方因為埋藏了大量的恐龍化石，被譽為「白堊紀的龐貝城」，這就是中國遼寧省西部的朝陽地區。

　　上世紀初，人們在遼西地區的朝陽發現了一個世界罕見的中生代化石寶庫。那裡的化石包括二十多個重要的生物門類，不僅化石數量豐富，而且保存也十分完整，以保存了許多生物的軟體組織特徵而聞名於世，包括恐龍、鳥類、翼龍和哺乳動物的羽毛、毛狀物和毛髮，以及許多生物的軟組織結構，如皮膚印痕、軟骨結構、角質喙等。在這個化石生物群中，許多恐龍化石還

保存了胃腔中尚未消化的食物，包括動物的骨骼、鱗片和植物的種子等。此外，許多昆蟲和無脊椎動物還保存了翅膜和顏色的特徵。

為什麼在遼西地區有如此豐富、種類如此繁多的古生物化石？為什麼它們保存得如此完整呢？

一億兩千多萬年前，今日中國的遼寧省西部地區是一個風景秀麗、氣候溫潤的原始湖泊區。水中魚蝦成群，水龜出沒；空中各種古生物的叫聲不絕於耳，還不時有鳥兒滑翔而過。湖岸上高大的喬木形成一片片森林。許多恐龍都在湖邊喝水。忽然，隨著一聲天崩地裂般的巨響，火山爆發了，大量有毒氣體與幾百萬噸的火山灰自空中墜下，方圓數千公里內，成千上萬的各類生物在彌漫的灰塵中掙扎。

許多倖存下來的鳥兒拚命地向遠離火山的湖中心飛去，有的體力不支，掉到湖裡死去了。陸地上的一些生物，如各種各樣的恐龍，慌亂地四處逃竄，很多都掉到湖裡淹死了。很快，牠們的屍體就沉入了湖底。

火山爆發後，大量的火山灰從天空中落了下來。由於火山灰的顆粒非常細小，所以當湖底的動物形成化石的時候，能把動物身上長的每一根毛或者羽毛這些細微

的結構保存下來。這也就是為什麼遼西的化石會如此大量地保存了各種動物的屍體，而且保存得如此完整的主要原因。

相關連結

遼西翼龍蛋化石

翼龍屬於會飛的爬行動物，科學家推測牠應該是卵生，但卻沒有任何證據。遼西翼龍胚胎化石的發現，第一次證明了翼龍是卵生的事實。這枚化石蛋的長度是五十三毫米，最大寬度為四十一毫米，蛋的邊界光滑清晰，蛋內呈褐色，顏色較深。化石蛋內的骨骼和軟組織結構顯示，這隻翼龍很快就要破殼而出。

自然奇觀篇

　　大自然是個偉大的藝術家，創造了諸多的奇峰、異石、洞穴等地貌景觀。人們在欣賞了這些美景後，無不對大自然的鬼斧神工驚嘆不已。

南極的不凍湖

　　南極的絕大部分地區都覆蓋著很厚的冰層，大陸冰層的平均厚度為一千八百八十公尺，許多地方冰層厚達四千公尺以上，被稱為「冰雪大陸」。南極大陸氣候酷寒，年平均溫度為負二十五℃，最低溫度達到負九十℃，所以又被稱為「世界寒極」。

　　從南極羅斯海西南端的羅斯島向東北方向走，穿過麥克默多海灣，便進入了一個無雪乾谷地區。紐西蘭在這裡建立起一座考察站，並根據考察站的名字，把考察站旁邊的一個湖取名為「范達湖」。一九六〇年，一些日本科學家實地考察了范達湖，范達湖奇異的水溫使他們感到驚訝。湖的表面雖然有一層三到四公尺厚的冰，近冰層水溫為〇℃左右，但是隨著深度增加，湖水溫度迅速提高。在六十公尺深的湖底，水溫接近二十七℃。

　　地質學家考察後發現，這個湖泊的周圍沒有任何火山活動的現象，湖水跟地球表面上其他的水也沒有什麼

兩樣。為什麼湖水沒有凝固成冰呢？

部分科學家認為，這是在特殊條件下氣壓和溫度綜合作用的結果。在三千多公尺厚的冰層下，湖水所承受的壓力可達到兩百七十八個大氣壓。在這樣強大的壓力下，冰在負二℃就會融化。同時，冰層能有效地防止熱量的散發，使南極大陸凹陷地區大量的冰融化，變為「湖水」。然而，這種觀點遭到了一些科學家的反駁。如果真是那樣的話，那麼南極地區的所有湖水都應該不會結凍，為什麼獨獨這裡的湖水是這樣的？

其他一些科學家認為，這個溫水湖的水下，很有可能有個大溫泉，把這裡的水溫提高了，使冰融化了。然而，這種觀點因為得不到合理的證明，也遭到了其他科學家的質疑。

還有一些科學家推測，湖水其實是被太陽曬熱的。他們認為，這個四周被冰山包圍的湖實際上是一潭死水，它的熱量很難散發出去。而這裡的冰就像一個透鏡一樣，能夠使太陽光線聚焦，成為湖上的一個熱源。天長日久，就形成了這個冰川上的不凍湖。不過，這種觀點同樣遭到了質疑，因為這種現象在南極很普遍，但只有這個湖是不凍湖。所以，南極的不凍湖至今還是未解

之謎。

 相關連結

南極不凍湖的種類

科學家們在冰天雪地的南極大陸發現了二十多個不凍湖，總共有三類：一類是湖面結冰，冰下是液態水；另一類是湖面季節性結冰，夏季湖面解凍；還有一類湖面在寒冬時也不封凍。

瀝青湖形成之謎

　　瀝青就是我們俗稱的柏油，是石油提煉過程中的副產品，主要由碳氫化合物組成，也含有少量的氧、硫或氮的化合物。瀝青的黏結性、抗水性和防腐性良好，常用於鋪築路面，也可以作為防水和防腐材料。世界上有一個罕見的「瀝青湖」，它的「湖水」是一種黏稠度很大的天然瀝青。

　　這個湖位於美洲加勒比海的特立尼達島上，名叫「彼奇湖」。湖中心不斷湧出天然氣和天然瀝青，因此它又被稱為「瀝青湖」，是世界上最大的天然瀝青產地。彼奇湖湖面漆黑閃亮，整個湖就像一個黑色的大漆盆。它的面積只有○‧三六平方公里，湖底卻深不可測，瀝青就是從那裡源源不斷地湧出來的。瀝青湖究竟有多深呢？有人曾想探索它的奧祕，在湖心鑽探到九十到一百公尺的深處，從那裡取出來的仍然是瀝青，因而目前尚無法確定其深度。

當地人用又厚又寬的木板平鋪在湖面上，開著掘土機和大卡車去開採瀝青。奇怪的是每次開採後留下的大坑，不到幾個星期就會被新湧上的瀝青漿填平。瀝青湖在一五九五年被人發現，至今人們已開採了一百四十多年。儘管人們不停地採挖，湖面卻沒有降低多少，就像一個取之不盡、用之不竭的「聚寶盆」。這個寶湖給特立尼達和多巴哥帶來了無窮無盡的財富，成為特立尼達和多巴哥重要的創匯來源之一。

瀝青湖的瀝青質地優良，機械穩定性和黏合力都很強。用這裡的瀝青鋪成的路面經久耐用，酷暑不軟，嚴冬不裂，而且在車燈下會呈現閃光的銀灰色，特別適合車輛夜間行駛。許多國家的道路工程所需的瀝青都來自這個島國。

這個天然瀝青湖究竟是如何形成的呢？在特立尼達和多巴哥民間曾流傳著這樣一個充滿神奇色彩的傳說。相傳數百年前，在這裡生活的印第安人視蜂鳥為他們祖先的靈魂，將蜂鳥供為神靈，任何人不能傷害牠們，更不允許捕殺。一次，一個剽悍的土著印第安部落──查伊馬部落打敗了入侵之敵後，舉行盛大的慶功宴會，席上有人將獵來的蜂鳥做成菜肴供大家品嚐。不料這一觸

犯神靈的舉動招來滅頂大禍，天神當即下令將整個村莊和部落埋於地下，不久這裡就開始不斷噴出黑色瀝青，形成了瀝青湖。當然，這只是流傳在民間的神話傳說而已。

　　科學界對天然瀝青湖的形成有著不同的看法。有的地理學家認為，瀝青湖是由於地震造成陸沉現象，地下的石油、天然氣溢出，與地面上的物質化合，久而久之才形成的。有的地質學家認為，這裡原來是一座死火山，瀝青湖是石油和天然氣在地底下長期與軟泥流等物質混合，湧到死火山口後形成的。

天下奇觀大堡礁

　　大堡礁是世界上最大、最長的珊瑚礁群，是世界七大自然奇觀之一，也是澳大利亞人最引以為豪的天然景觀，被稱為「透明清澈的海中野生動物王國」，是世界上最大的活體珊瑚礁群。

澳大利亞大堡礁

　　在大堡礁，有三百五十多種珊瑚，它們的形狀、大小、顏色都極不相同，有些非常小，有的可寬達兩公尺。珊瑚千姿百態，有扇形、半球形、鞭形、鹿角形、樹木形、花朵狀的，等等。珊瑚栖息的水域顏色有白、青、藍、靛多種顏色，絢麗多彩，珊瑚也有粉紅、玫瑰紅、鮮黃、藍等顏色，異常鮮豔。

　　令人不可思議的是，營造如此龐大「工程」的「建

築師」，竟然是直徑只有幾毫米的腔腸動物珊瑚蟲。珊瑚蟲體態玲瓏，色澤美麗，只能生活在全年水溫保持在二十二℃到二十八℃的水域，且水質必須潔淨、透明。澳大利亞東北海岸外的大陸架海域具備了珊瑚蟲繁衍生長的理想條件。珊瑚蟲以浮游生物為食，喜歡群體生活，能分泌出石灰質骨骼。老一代珊瑚蟲死後留下遺骸，新一代繼續生育繁衍，像樹木抽枝發芽一樣，向高處和兩旁發展。如此年復一年，日積月累，珊瑚蟲分泌的石灰質骨骼，連同藻類、貝殼等海洋生物的殘骸膠結在一起，堆積成一個個珊瑚礁體。珊瑚礁的建造過程十分緩慢，在最好的條件下，礁體每年不過增加四公分。有的礁岩厚度已達數百公尺，說明這些「建築師」們在此已工作了漫長的歲月。科學家們估計，這些珊瑚礁的形成，至少用了一萬五千年的漫長時間。

　　大堡礁是世界上最有活力和最完整的生態系統，但它的生態平衡也十分脆弱。如果在某方面受到破壞，對整個系統將是一種災難。大堡礁雖然禁得住大風大浪的襲擊，但是當二十一世紀來臨之際，最大的危險卻來自現代的人類。二十世紀時，由於開採鳥糞、大量捕魚捕鯨、進行大規模的海參貿易和捕撈珠母等活動，已經使大堡礁傷痕累累。

海洋學家指出，全球氣候變暖將在短短二十年時間內讓大堡礁蕩然無存。人類製造的大量二氧化碳提高了海洋的酸性，在此過程中，珊瑚難逃被溶解的命運。二氧化碳大量排放使珊瑚慘遭漂白，不再具有絢麗多姿的色彩。科學家們表示，只有減少二氧化碳的排放，才能確保大堡礁的長期存在。

巨人水晶洞是如何形成的

　　巨人水晶洞位於墨西哥奇瓦瓦沙漠地下三百公尺的深處，洞內到處都是發光的巨型石柱。這個洞穴中有世界上最大的天然水晶。這些半透明的巨型水晶長度達十一公尺，重達五十五噸。晶體的形狀千奇百怪，令人嘆為觀止，全部為半透明的金色和銀色。

　　這個埋藏在地下如此深的水晶洞是如何被發現的呢？一七九四年，人們在奇瓦瓦市附近的奈加山脈的底部發現了一處銀礦，取名為奈卡礦。從被發現直到一九○○年，這個礦主要出產的都是金銀。到一九○○年的時候，人們又開始大規模地發掘鋅和鉛。一九一一年到一九二二年間，這個礦因為種種原因一度被關閉。就在人們要放棄這個礦的時候，礦工們在奈加山脈的下面發現了一個特殊的洞穴，洞穴的牆壁上插滿了巨大的劍狀水晶，所以人們將它稱為「劍之洞」。

　　二○○○年，在奈卡礦施工的礦工意外地發現了一個

石洞。人們被其中無數巨大的水晶所震驚，那些水晶是地球上迄今發現的所有水晶中最大的。當這些礦工準備進入洞中探險時，卻發現洞中的環境無比險惡，最後不得不退了出來。原來，水晶洞下面一千六百公尺處就是岩漿，在巖漿的加熱下，富含礦物質的地下水從數百萬年前開始滲透整個洞穴。在這個水晶洞中，溫度高達五十℃，濕度高達百分之九十五以上。這種溫度和濕度對於人類來說，都是致命的。後來，人們穿上了一種特殊的冷卻服，進入洞中考察，終於見到了洞中的奇觀。

　　這些巨大的水晶是如何形成的呢？地質學家研究後發現，奈加山脈形成於兩千六百萬年前的火山活動。在巨人水晶洞裡，充滿了高溫的無水石膏，這是一種水分含量很少的石膏。無水石膏在五十八℃以上的溫度時是穩定的，但如果溫度低於五十八℃，就會分解成石膏。當奈加山下面的岩漿冷卻下來的時候，水晶洞裡的溫度就開始下降到五十八℃以下，這時無水石膏就開始分解，水中的硫酸鹽和鈣的含量逐漸增加。經過幾百萬年的沉澱後，最終形成了巨大的半透明石膏水晶。科學家們認為，要形成奈加洞穴中這樣巨大的水晶，洞裡的溫度就必須保持在五十八℃左右上百萬年的時間。因為如果溫度下降得過快，形成的水

晶會很小。

危險的巨人水晶洞

巨人水晶洞被發現後，一些礦工剝掉了一些大晶體，對洞裡的水晶造成損毀。後來，有一個工人帶了幾個充滿新鮮空氣的塑膠袋進入洞內，企圖盜竊水晶，結果很快昏迷在洞內。他被人發現時，已經被徹底烤乾了。現在，人們在水晶洞的入口安裝了一扇厚重的鐵門，以更好地保護這一奇觀。

神奇的「巨人之路」

在英國北愛爾蘭的安特里姆平原邊緣的岬角，沿著海岸的懸崖的山腳下，大約由三‧七萬多根六棱體、五棱體或四棱體的石柱組成的賈恩茨考斯韋角，從大海中伸出來，從峭壁延伸至海面。這些石柱的形狀很規則，看起來好像是人工鑿成的一樣。大量的玄武巖柱石排列在一起，形成壯觀的玄武岩石柱林，被稱為「巨人之路」。一九八六年，「巨人之路」被聯合國教科文組織列為世界自然遺產，是北愛爾蘭著名的旅遊景點。

在愛爾蘭的民間傳說中，「巨人之路」是由愛爾蘭巨人芬‧麥庫爾建造的。他把岩柱一個一個地運到海底，那樣他就能走到蘇格蘭去與其對手芬‧蓋爾交戰。當麥庫爾鋪好道路後，他決定休息一會兒。而同時，他的對手芬‧蓋爾決定穿越愛爾蘭來窺探一下他的對手。他見到沉睡中的麥庫爾身軀如此巨大，不由得暗暗吃驚。麥庫爾的妻子對蓋爾說，沉睡的麥庫爾是她初生的嬰兒，

蓋爾聽了更為驚恐，心想：孩子如此巨大，他的父親必定更加龐大。蓋爾嚇得逃回蘇格蘭，並搗毀了自己身後的堤道，以免麥庫爾走到蘇格蘭。那些殘留的堤道則留在了愛爾蘭海邊的安特里姆海岸上。美麗的傳說仍在流傳，這道通向大海的巨大天然階梯之謎，也被地質學家們揭開了謎底。

現代地質學家們透過研究發現，「巨人之路」實際上是由一種天然的玄武岩形成的。白堊紀末期，北大西洋開始持續地分裂和擴張，大西洋中脊就是分裂和擴張的中心，也是分離的板塊邊界。上地幔的岩漿從大西洋中脊的裂谷中上湧，覆蓋了大片地域，熔岩層層相疊。一股股玄武岩熔岩從地殼的裂隙湧出，像河流一樣流向大海，遇到海水後迅速冷卻，變成固態的玄武岩。岩漿在凝固過程中發生了爆裂，而且收縮力非常平均，於是就形成了規則的柱狀體，這些柱狀體通常為六棱柱。這種過程有點像河流乾涸後，河底的淤泥在陽光的暴曬下龜裂時的情景。玄武岩熔岩石柱的主要特點是裂縫直上直下地伸展，水流可以從頂部通到底部，結果就形成了獨特的玄武岩柱網絡。所有的玄武岩柱併列在一起，其間僅有極細小的裂縫。由於火山熔岩是在不同時期分五

六次溢出的，因此峭壁形成了多層次的結構。

　　受大冰期的冰川侵蝕及大西洋海浪的沖刷，冷卻的火山熔岩逐漸被塑造出高低參差的奇特景觀。每根玄武岩石柱其實是由若干塊六邊形石塊疊合在一起組成的。波浪沿著石塊間的斷層線把暴露的部分逐漸侵蝕掉，石柱在不同高度處被截斷，導致巨人之路呈現出臺階式外貌的雛形。經過千萬年的侵蝕、風化，最終，玄武岩石堤的階梯狀樣貌就形成了。

神祕的「赤道巨足」

基多是赤道之國厄瓜多爾的首都，也是世界上距離赤道最近的首都。一九八二年十月二十六日，西班牙著名畫家拉斐爾慕名來到這個旅遊勝地，並當場揮筆畫了兩幅赤道風景畫。其中一幅畫的是火山噴發後的壯麗景觀，熾熱的白色熔岩凝結、硬化成岩石，岩石恰如一隻澆鑄而成的巨足，不偏不倚正好踩在赤道上。

這幅畫在馬德里公開展出後，在觀眾中引起強烈的反響和震動。人們對該畫所表現的情景顯示出濃厚的興趣，都想知道這是出於畫家的豐富想像力呢，還是大自然的真實寫照。拉斐爾向公眾明確表示，這是一幅完全忠實於客觀自然界的作品，他還當即把這幅畫的創作過程如實地講給大家聽。他說，不久前他和朋友去厄瓜多爾旅行，當他們乘坐的飛機飛到厄瓜多爾最大的城市和港口瓜亞基爾時，眼前突然出現了一幅令人驚奇和讚嘆不已的奇觀，一隻人類巨足和一頭巨型獸類出現在赤道

線上，頓時把他看得目瞪口呆。他的朋友連忙從他手中奪過照相機，對準地面拍了好幾張照片。他邊說邊拿出根據朋友當時拍攝的照片製成的幻燈片，放映給大家看。銀幕上清晰地顯示出一隻人類巨足和一頭巨獸的形象，在場的人對此無不感到驚訝。

此後，有不少人懷著強烈的好奇心和濃厚的興趣來到厄瓜多爾，他們想要親眼目睹拉斐爾畫中神祕的巨足和巨獸。但他們走遍了附近的峽谷、平地和古代遺址，卻沒有看到拉斐爾所見到的東西。事後聽當地人講，這種奇特景象只有在高空中才能看到。人在地面上時，由於地球呈球形，地形呈傾斜狀態，從而無法看到這種奇觀。

那麼，這種奇觀是怎麼出現的呢？對於這個問題，科學界有著不同的看法。

一種觀點認為，基多地處赤道，地殼活動頻繁，有可能是在一次火山爆發後，噴出的岩漿在硬化過程中湊巧形成了「赤道巨足」，也就是說這是大自然的傑作；一種看法是，那些花崗岩經過長年累月的風化、侵蝕，從而形成了這一奇特的地貌；還有一部分人認為，那是古代印第安人在已有的自然形狀上再創造，加工、雕刻

成了目前的模樣，目的是為了作出標記，讓人們知道這裡是地球的平分線。他們的理由是，早在好多個世紀以前，基多就已成為古代印加帝國的政治、宗教中心。印加人自古就崇拜太陽神，自詡是太陽的子孫，到處建起了金碧輝煌的太陽神廟，廟內供奉著太陽神。他們還把每年六月的最後一星期定為慶祝太陽節的日子，將六月二十四日作為新年的開始。這一天，人們穿著五彩繽紛的節日盛裝，手捧美酒佳肴，排著望不到盡頭的隊伍，沿著山坡向太陽神廟裡的聖壇走去，舉行隆重的太陽祭典禮。因此，他們認為巨足、巨獸是古代印第安人在大自然恩賜的石塊上進行再創造的結果。

究竟是何種原因造成了「赤道巨足」？直到目前，人們還無法確定，只有等待後人的進一步研究了。

「地球的肚臍」

　　艾爾斯巨石位於澳大利亞中部，底面呈橢圓形，形狀有些像兩端略圓的長麵包。它長三‧六公里，寬約二公里，高三百四十八公尺，周長約為八‧八公里。艾爾斯巨石的巖石成分為礫石，含鐵量高，其表面因被氧化而發紅，整體呈紅色，因此又被稱為「紅石」。

　　讓人覺得神奇的是，艾爾斯巨石會隨著早晚和天氣的變化而改變顏色。當太陽從沙漠的邊際冉冉升起時，巨石看起來是淺紅色的，鮮豔奪目，壯麗無比；到了中午，巨石就變成了橙色；當夕陽西下時，巨石是深紅色的，猶如燃燒的熊熊火焰；夜幕降臨時，它看起來又是黃褐色的。

　　關於艾爾斯巨石變色的緣由一直眾說紛紜。地質學家認為，這與它的成分有關。艾爾斯巨石實際上是岩性堅硬、結構致密的石英砂岩，岩石表面的氧化物在陽光不同角度的照射下，會不斷地改變顏色。因此，

艾爾斯巨石被稱為「五彩獨石山」，又被稱為「地球的肚臍」，號稱「世界七大奇景」之一。

艾爾斯巨石

這裡的原住民是在此生活了幾萬年並創造了燦爛文化的阿南古人，他們認為是自己的祖先們創造了大地與山河。由於艾爾斯巨石恰好位於澳大利亞的中心，阿南古人便認定這塊巨石是澳大利亞的靈魂。艾爾斯巨石上有許多奇特的洞穴，裡面有土著人留下的古老繪畫和岩雕。這塊巨岩是阿南古人心中的「聖石」，許多部落的土著人都在這裡舉行成年儀式和祭祀活動。

艾爾斯巨石是如何形成的呢？

根據地質學家的考察，艾爾斯巨石在澳大利亞雄偉地聳立了幾億年。六億年前，由於地殼運動，巨石所在的阿瑪迪斯盆地被向上推擠，形成大片岩石。大約到了三億年前，又一次神奇的地殼運動將這座巨大的石山推

出了海面。經過億萬年來的風雨滄桑，大片砂岩已被風化為沙礫，只有這塊巨石憑著它特有的硬度抵抗住了風剝雨蝕，成為地貌學上所說的「蝕餘石」。長期的風化侵蝕，使其頂部圓滑光亮，並在四周陡崖上形成了一些自上而下、寬窄不一的溝槽和淺坑。因此，每當暴雨傾盆時，巨石的各個側面上就會飛瀑傾瀉，非常壯觀。

相關連結

艾爾斯巨石名稱的由來

一八七三年，一位名叫威廉·克里斯蒂·高斯的測量員來到艾爾斯巨石所在的荒漠。當他又餓又渴之際，看到眼前有一座巨大的石山，還以為是自己的幻覺。高斯來自南澳州，所以他以當時南澳州總理亨利·艾爾斯的名字命名這座石山。

神奇的間歇泉

　　間歇泉是一種熱水泉。這種泉的泉水不是不停地從泉眼裡噴湧出來的，而是噴一陣就停一會兒，好像是憋足了一口氣，再狠命地湧出一股子來。噴發的時候，泉水可以噴射到很高的空中，形成幾公尺、甚至是幾十公尺高的水柱，看起來十分壯觀。

　　間歇泉噴水的時間並不長，噴了幾分鐘或幾十分鐘以後就自動停止，隔一段時間又會進行一次新的噴發。間歇泉的名字就是這樣來的。

　　冰島西南部奧德恩斯的赫伊卡達倫居民點附近是一個大噴泉地區，這裡有一個著名的間歇泉，名叫哥吉爾噴泉。哥吉爾噴泉是一個直徑約十八公尺的圓池，水池中央的泉眼是一個口徑約十公分的「洞穴」，洞內水溫達一百℃左右。每次噴發之前，只聽到洞內隆隆作響。漸漸地，響聲越來越大，沸水也隨之上湧，最後衝出洞口，向高空噴射，旋即化作瓊珠碎玉，從高空呼嘯而

下。每次噴發過程大約持續兩分鐘，然後漸歸平息。這一過程周而復始，不斷反覆，十分壯美。

這個著名的間歇泉不僅壯觀，而且歷史也十分悠久。早在一六四七年，它的名字哥吉爾就已經成為全世界所有間歇泉的通稱。當地居民還引噴泉熱水為家庭取暖，或培育瓜果蔬菜。

現在人們在大間歇泉一帶建立了許多溫室，種植溫帶的花草樹木以及熱帶的香蕉。大間歇泉的噴水柱最高達五十一‧八公尺。近年來，其噴水高度有所下降，只有二十餘公尺，而且間歇的時間也變得不太規則，從十多分鐘至一分鐘不等。

那麼，間歇泉是怎麼形成的呢？

科學家經過考察指出，適宜的地質構造和充足的地下水源是形成間歇泉最根本的原因。此外，還要有一些特殊的條件：首先，間歇泉必須具有能源，地殼運動比較活躍地區的熾熱的岩漿活動是間歇泉的能源，因而它只能位於地表稍淺的地區。其次，要形成間歇性的噴發，還要有一套複雜的供水系統來連接一條泉水通道。在通道最下部，地下水被熾熱的岩漿烤熱，但在通道上部，泉水在高壓水柱的壓力下又不能自由翻滾沸騰。同

時，由於通道狹窄，泉水也不能進行隨意的上下對流。這樣，通道下面的水在不斷的加熱中積蓄能量。當水道上部水壓的壓力小於水柱底部的蒸汽壓力時，通道中的水被地下高壓、高溫的熱氣和熱水頂出地表，造成強大的噴發。噴發後，壓力減低，水溫下降，噴發因而暫停，為下一次新的噴發積蓄能量。

彩色的沙漠

　　美國亞利桑那州的中北部，科羅拉多河大峽谷東岸有一片長約兩百四十公里、寬二十四到八十公里、面積約一‧九萬平方公里的沙漠。這片沙漠大部分為地區沙漠荒野，海拔在一千五百公尺以上，還有孤山、臺地、小丘和河谷。那裡的沙子不只是黃色的，而是呈現出粉紅色、金黃色、紫紅色、藍色和白色，令人眼花撩亂。

　　沙漠東部遍布彩色沙丘，有的形似駝峰，有的像金字塔，還有數以千計的「石柱」屹立在沙地中，長的超過三十公尺，粗的直徑達到四公尺，色彩豔如瑪瑙。這吸引了世界各地遊客的沙漠，就是著名的彩色沙漠。據說，彩色沙漠的奇異景致最早是由來此探險的一群西班牙探險家發現的，他們驚詫於這裡的岩石呈現出的宛如七色彩虹一般多彩的色調，於是給這片沙漠取名「彩色沙漠」。

　　這裡最吸引人的景色要數由二‧五億年前的樹木演化沉積而成的彩色岩石。在零星散落的彩色岩林中，有

一處景致很特別，那就是長二公里、名為「藍色彌撒」的環形路兩側山坡的迷人景色。由於當地空氣乾燥，雨量稀少，風化的沙石所含的礦物沒有起化學變化，其本來的色澤在陽光照耀下，使沙漠呈現出藍色、紫水晶色、淡綠色和灰色，五彩紛呈，形成世界上罕見的自然景觀。在熱氣蒸騰下，沙漠會產生各種顏色的煙霧，在半空中飄蕩。藍峰是彩色沙漠中的最高岩峰，因常有藍色的霧靄籠罩而得名。從峰頂向下俯視，藍紫色的山丘高矮起伏，營造出一種奇異夢幻的色調。

為什麼這一片沙漠是彩色的呢？

原來，在遠古時代，亞利桑那州不是現在的連綿沙漠，而是平整蔥鬱的陸地，有許多恐龍在這裡遊蕩覓食。後來，陸地被洪水淹沒，樹木被連根拔起，最終被掩埋在淤泥、泥沼和火山灰底下。在以後的漫長歲月中，樹木漸漸腐朽，然後又在化學反應的作用下，最終演化成了岩石。隨著大自然的風吹、日曬和雨淋，不斷地有岩石被從地層深處剝離，變成沙子一樣的白色晶體。白色的岩石晶體在陽光的照耀下，折射出從黃色、紫色到紅色、橙色的炫目色彩，形成了這片與眾不同的彩色沙漠。

壯觀的岩漿湖

世界上有一種奇怪的湖泊，湖泊裡沒有水，只有熱騰騰、紅彤彤的岩漿。

在非洲國家剛果(金)的東部，有一座著名的尼臘貢戈火山，山勢十分雄偉，海拔高度為三千四百七十公尺。「尼臘貢戈」在當地語言中是「不要去那裡」的意思。在最近一百多年間，尼臘貢戈火山曾經噴發過多次，每次噴發總要流出大量熾熱的岩漿，沿著山坡流得很遠，結果把漫山遍野的森林燒了個精光。後來，火山停止了噴發，在火山頂上留下一個深深的火山口。尼臘貢戈火山口樣子很像一口巨大的鍋，從「鍋沿」到「鍋底」有好幾百公尺深。四周是呈圓形的懸崖陡壁，懸崖下面就是那個沸騰著的岩漿湖。岩漿湖長一百公尺、寬三百公尺，通紅熾熱的熔漿在湖中翻滾著，彷彿是一爐沸騰的鋼水，非常壯觀。

一九四八年和一九五三年，一位義大利的探險家冒

著被岩漿吞沒的危險，兩次走進地下「魔窟」。他發現，這片稀奇的岩漿湖並不是一天到晚總是翻滾沸騰著的，它也有平靜的時候。這時，湖面上相當安靜，火紅的岩漿表面漸漸冷卻，結成一層厚厚的黑殼。可是，平靜的時間並不是很長。過不了多久，湖面上開始噴湧出火紅的岩漿，噴湧的範圍越來越大，很快就掀開表面的全部硬殼。與此同時，岩漿湖上騰起濃密的煙霧，響起隆隆的吼聲。這時，原來凝結的岩殼消失了，重新被熔化成岩漿，整個岩漿湖變得像一爐熔化的鐵水。隨後，岩漿湖又慢慢恢復了原來的平靜。

那麼，岩漿湖到底是怎麼產生的呢？

原來，地殼下面存在著大量的熾熱岩漿。火山噴發時，岩漿會從地下衝到地面上。但是，不是所有的岩漿都能形成岩漿湖。地殼下面的岩漿成分有很大的差異，有的岩漿含二氧化硅成分多，岩漿特別黏稠，一從地下湧出來，很快就會凝固，這種岩漿是無法形成岩漿湖的。只有含二氧化硅最少的岩漿才能形成岩漿湖。這種岩漿湖底下有連通地下深處的火山通道，燃燒得滾燙的岩漿可以源源不斷湧流出來，補充「湖水」，形成岩漿湖奇觀。

相關連結

消失的岩漿湖

在太平洋的夏威夷島上，有一座海拔一千二百四十七公尺的基拉韋厄火山，它頂部的噴火口是一個橢圓形窪地，最大直徑為四千零二十四公尺，深一百三十多公尺。在窪地的西南角，有一個直徑為一公里的卵形深坑，叫「哈里莫莫」，意思是「永恆的火焰之家」。這裡曾長期存在著一個世界上最大的岩漿湖，面積達十萬平方公尺。通紅熾熱的岩漿一般有十幾公尺深，在湖中翻滾嘶鳴，彷彿一爐沸騰的鋼水。在湖的邊緣部分，常常會產生暗紅色的岩漿結皮，它們堆積起來就像一捆捆的繩子。湖面上還不時出現幾公尺高的岩漿噴泉，噴濺著五彩繽紛的火花。一九二四年的時候，在一次火山大爆發以後，這個岩漿湖忽然消失了，只留下一個黑洞。

青少年必讀百科探索叢書

冰 山 奇 觀

一九一二年四月十四日深夜，英國建造的第一艘巨型豪華遊輪「鐵達尼號」在紐芬蘭南部海域沉沒，船上有一千五百二十三人葬身海底，成為當時震驚世界的大慘案。製造這起慘案的，就是可怕的「海上殺手」——冰山。

冰山並不是真正的山，而是漂浮在海洋中的巨大冰塊。冰山和浮冰不同，浮冰是海水凍成的海冰，冰山卻是從冰架分離出來的。每年都有數以萬計的冰山從陸緣冰的邊緣分裂出來，漂浮在海上，成為極地海域獨具特色的標誌。

冰山一般來自北極和南極地區。北極的格陵蘭、阿拉斯加等地都是北極地帶冰山的老家，每年大約有一‧六萬座冰山漂向海洋。南極海域是世界上冰山最多的地方，每年大約有二十萬座冰山在海洋裡游弋。生成在北冰洋的冰山個兒小，形狀不規則，漂移的距離不遠，最

遠也只能漂到北緯四十八度附近。生成在南極大陸邊緣的冰山個兒大，大多是平頂，往往漂浮得很遠，最遠可到達南緯二十六度附近，幾乎漂進了熱帶海域。

冰山總體積的十分之九都浸在水下，我們在海面上所看到的僅僅是它的頭頂部分。它在水底部分的吃水深度一般都超過兩百公尺，深的可達五百多公尺。一座座巨大的冰山，隨著海流的方向能漂流到很遠很遠的地方。在正常情況下，它們每天大約能漂流六公里。許多大冰山在海上可以漂流十幾年，最後由於風吹日曬、海浪沖擊，漸漸消失在溫暖海域的海水中。

大洋上漂泊的大量冰山雖然美麗壯觀，給大洋增色不少，但是對於航行在海上的船隻來說，冰山始終是可怕的威脅。尤其是在大霧迷漫、能見度很差的天氣裡，或者是夜航期間，船隻必須小心翼翼地避開冰山。

為了防止冰山對航行造成災難，人們在航行最繁忙的北大西洋組織了國際冰情巡邏隊，派出飛機和船隻，日夜不停地監視著海上的冰情。現代化的考察船和其他船隻配備了雷達裝置，能夠及時發現冰山，因而減少了和冰山相撞的危險。

相關連結

最大的冰山

一九五六年，一艘破冰船在南極大陸附近發現一個大冰山。它長達三百五十公里，寬四十公里，面積相當於中國海南島面積的一半。冰山一般都有幾十公尺高，最高的高達兩千七百公尺，比中國的泰山和黃山的絕對高度還要高。

「燦若明霞」丹霞山

　　丹霞地貌是地理學上的名詞，它是指巨厚紅色沙礫岩的岩層中沿垂直節理發育的各種奇峰的總稱。

　　一九二八年，中國地質學家馮景蘭教授在廣東和廣西境內進行現代地質調查工作。當他來到仁化縣的丹霞山時，發現這兒看不見平坦的高原，也沒有密集分布的山頭，只有一座座孤立的山峰散落在起伏不平的原野裡，十分引人注目。在這裡，蔚藍的天空、碧綠的田野、清亮的小河、雪白的沙灘和赭紅色的山岡映襯在一起，好像是一幅色彩鮮豔的水彩畫。這種紅色砂岩地形實在太奇特了，馮景蘭教授將這種由紅色沙礫岩組成的地層命名為「丹霞層」，俗稱「丹霞紅層」。一九三九年，廣東的陳國達教授將「丹霞紅層」稱為「丹霞地形」。從一九五四年起，「地形學」改為「地貌學」，「丹霞地形」隨之改稱為「丹霞地貌」。

　　那麼，丹霞山的丹霞地貌是如何形成的呢？

距今一‧四億年至七千萬年間，丹霞山地區是一個大型內陸盆地。受喜馬拉雅造山運動影響，四周山地強烈隆起，盆地內接受了大量碎屑，並不斷沉積，形成了巨厚的紅色地層。在距今大約七千萬年前，地殼上升，紅色地層逐漸受到侵蝕。距今六百萬年左右，盆地又發生多次間歇上升，平均大約每一萬年上升一公尺，同時流水下切侵蝕，丹霞紅層被切割成一片紅色山群，也就是現在的丹霞山。在中國，從熱帶到溫帶，從濕潤區到乾旱區，從沿海丘陵平原到青藏高原，都有丹霞紅層分布，發育了多種成因的丹霞地貌。

　　除了丹霞山以外，中國許多著名的風景名勝區，如福建泰寧的大金湖世界地質公園、江西鷹潭的龍虎山國家地質公園、福建的武夷山，以及浙江的江郎山、爛柯山等，都是丹霞景觀的典型代表。二〇一〇年八月一日，在巴西首都巴西利亞舉行的第三十四屆世界遺產大會上，經聯合國教科文組織世界遺產委員會批准，中國的湖南崀山、廣東丹霞山、福建泰寧、貴州赤水、江西龍虎山和浙江江郎山聯合申報的「中國丹霞地貌」被列入「世界自然遺產目錄」。

飛沙不落月牙泉

敦煌位於甘肅省河西走廊的西端，是古代「絲綢之路」上的名城重鎮。那裡有一眼月牙泉，被譽為「塞外風光之一絕」。

月牙泉古稱沙井，俗名藥泉，「月泉曉徹」自漢朝起即為「敦煌八景」之一。月牙泉南北長近一百公尺，東西寬約二十五公尺，泉水東深西淺，最深處約五公尺，形狀如一彎新月，因而得名。在鳴沙山群峰環繞的一塊綠色盆地中，月牙泉就像一彎新月落在黃沙之中。泉水清涼澄明，味美甘甜，在沙山的懷抱中嫻靜地躺了幾千年。雖常年受到大漠狂沙的襲擊，月牙泉卻依然碧波蕩漾，有「沙漠第一泉」之稱。歷代文人學者都對這一獨特的沙漠奇觀讚嘆不已。

歷史上的月牙泉不僅「千年不涸」，而且水面極大、水深極深。據說，月牙泉早在漢代就是遊覽勝地。唐代時，這裡的水面上還有大船，泉邊建有廟宇。泉南

岸原有一組古樸典雅、錯落有致的建築群，從東向西計有娘娘殿、龍王宮、菩薩殿、藥王洞、雷神臺等百餘間。

有文獻記載，清朝時這裡的水面還能跑大船。二十世紀初有人來此垂釣，在遊記中寫道：「池水極深，其底為沙，深陷不可測。」月牙泉在有限的史料記載和詩詞歌賦的描述中，一直是碧波蕩漾、魚翔淺底、水草豐茂，與鳴沙山相映成趣。直到一九六〇年前，泉水都沒有大的變化，最大水深達九公尺，泉水面積達二十二·五畝，可謂名副其實的「月牙湖」。

自上世紀七〇年代中期起，人為的墾荒造田、抽水灌溉及周邊植被遭到破壞，造成水土流失，地下水位下降，導致月牙泉水位不斷下降。最終，「月牙湖」變成了月牙泉。

月牙泉為什麼處於沙漠地帶幾千年卻沒有乾涸呢？原來，月牙泉的形成主要取決於月牙泉本身的地質結構。月牙泉處於低窪地，敦煌城及其南部地區的地下水位高於月牙泉水面。月牙泉西北部平原的地下水透過地下徑流進入泉域後，在地形較低的窪地溢出，形成了月牙泉。因此，數千年來泉水一直不乾。

那麼，為什麼月牙泉沒有被沙子填埋呢？

地質學家考察後認為，這是由此地的地形和風向所致。鳴沙山南北兩條山脈互盤互抱，中間有月牙泉相隔，如同太極圖一般。此處常颳西北風，風帶著沙塵進入泉區後，就會沿著水域四周的山坡作離心運動，把帶來的流沙大部分推向四周的山坡，拋向山峰的另一坡面，也有少量流沙被帶到泉區東北口外，離開泉水區很遠。這就是「飛沙不落月牙泉」的原因。

 **相關連結**

保護月牙泉

　　近年來，面對月牙泉水位不斷下降的狀況，甘肅省啓動月牙泉景區治理工程，以遏制敦煌生態環境惡化的勢頭。為了保住月牙泉，人們對其做了兩次挖掏和多次滲水、注水，並在泉水附近修建了一座人工滲水池，以保護月牙泉、鳴沙山這一沙泉相伴的自然奇觀。

會「唱歌」的沙子

　　沙子會「唱歌」嗎？在世界許多地方，確實有會唱歌的沙子。當人們從沙山頂峰向山下滑動時，沙山上的沙子會發出多種不同的聲響。有時像戰鼓隆隆，有時似萬馬奔騰，有時如精靈哭泣，有時又像琴聲悠悠。鳴沙現象是普遍存在的，在美國的長島、馬薩諸塞灣、威爾斯西岸，丹麥的波恩賀爾姆島，波蘭的科爾堡以及巴西和智利的一些沙灘、沙漠，沙子都會發出奇妙的聲音。在中國也有三處著名的鳴沙地，第一處是甘肅敦煌月牙泉畔的鳴沙山，第二處是寧夏中衛黃河岸邊的沙坡頭，第三處是內蒙古包頭市附近的響沙灣。

　　沙子為什麼會「唱歌」呢？這個問題使人困惑，也激起了人們對它進行研究和探索的興趣。科學家們對鳴沙的原因做出了各種各樣的解釋。

　　一些學者認為，沙粒上有一層薄薄的鈣鎂化合物，在大量的沙相互摩擦時，就會發出不同的聲音，還有的

學者提出，每個鳴沙沙丘的內部，都有一個密集而潮濕的沙土層，它的深度是隨雨水的多少而改變的。夏季，潮濕層較深，它被上面乾燥的沙土層全部覆蓋起來，潮濕層的底下又是乾燥的沙土層，這就構成了一個天然的共鳴箱。當沙粒沿著斜坡傾瀉下來時，乾燥沙粒的振動波傳到潮濕層時，就會引發共鳴，就像樂器的共鳴箱一樣，使沙粒的音量擴大無數倍而發出巨大聲響。

有的學者考察了中國的中衛沙坡頭和內蒙古的響沙灣後發現，兩地沙子的質地均屬細沙類，而且石英質地的沙粒占其中的一半以上。於是他們認為，由於石英晶體具有特殊的壓電性質，對壓力非常敏感。它們一旦受到擠壓就會帶電，在電的作用下，沙粒會反覆伸縮振動，振動得越厲害，產生的電壓越高；電壓越高，振動越厲害。於是，「歌聲」就越來越響。蘇聯學者雷日科還順利地製成了人造的發聲沙。他取普通的河沙弄乾，清洗沙中塵土，再從中清除別的雜質，然後在一般的起電盤的幫助下對沙子進行充電，沙子就響起來了。當他用一隻手擠壓沙子時，沙子就會發出拉提琴般的響聲。

不過，石英沙的分布十分廣泛，響沙現象卻沒有那麼普遍，所以更多的人還是認為，鳴沙的形成與當地特

殊的地理環境有關。比如中國寧夏中衛沙坡頭的鳴沙，由於人們在周圍植樹造林，改變了環境，鳴沙已經有十幾年不響了。

　　鳴沙為什麼會響，到現在依然是一個謎團。不過，隨著研究的不斷深入，人們總有一天會解開這個謎題。

「死亡谷」之謎

　　在美國加利福尼亞州與內華達州相毗連的群山之中，有一條特大的「死亡谷」。它長兩百二十五公里，寬約六至二十六公里不等，面積達一千四百多平方公里。峽谷兩「岸」是懸崖絕壁。這裡也是北美洲最熾熱、最乾燥的地區，幾乎常年不下雨，更有過連續六個多星期氣溫超過四十℃的紀錄。每逢傾盆大雨，便會有滾滾泥流衝下山坡。

　　一八四八年八月十九日，美國《紐約先驅報》報道，有人在加利福尼亞州發現了金礦。消息傳開後，立刻掀起了一場席捲全美乃至整個世界的淘金熱潮。懷揣著「一朝致富」美夢的淘金者們，瘋狂地湧向這個夢想中的黃金天堂。一八四九年十月，一隊淘金者跌跌撞撞地闖進了一個陌生而險惡的大峽谷。他們迷失了方向，在多日的艱苦前行之後，眼前仍是一望無際的荒野。這些淘金者不由得心生絕望。食物和飲水即將耗盡，有人經受不住嚴酷的環境而死去，剩下的人燒掉代步的大篷

車，將牛殺掉做成肉乾，輕裝徒步南行，最後只有極少一部分人得以逃生。他們在離開此地時，回望險峻而荒涼的山谷，黯然神傷之餘不禁脫口說道：「再見，死亡谷。」「死亡谷」之名由此不脛而走。然而沒過多久，這些幸存者也都神祕地死去了。此後，有些前去探險或試圖揭開死亡谷之謎的人，也屢屢葬身谷中。

後來，科學家利用飛機進行偵察，驚詫地發現這個人間活地獄，竟是飛禽走獸的「極樂世界」。據航測統計，在死亡谷裡大約有三百多種鳥類、二十餘種蛇類、十七種蜥蜴，還有一千五百多頭野驢，它們居然在那裡逍遙地生活著。時至今日，誰也弄不清這條峽谷為何對人類是如此的殘忍，而對動物卻是如此的仁慈。

俄羅斯的堪察加半島是世界上火山活動最活躍的地方之一，這裡也有一個「死亡谷」。這個峽谷坐落在基赫皮內奇火山山麓、熱噴泉河的上游。由於谷底有含硫岩層，常溢出有毒的硫化氫氣體。颳西風時，峽谷出口被封，毒氣無法升騰消散，此時在谷中無論是人還是動物都會很快中毒死亡。只有強烈的東風和北風颳來時，地下的毒氣才能被稀釋消散，入谷才安全。現在，進入這個地方一般要使用直升機。

「魔鬼城」探祕

　　從敦煌出發往西行，經玉門關、漢長城，驅車一百八十多公里，就會來到一片曠野平坦的河床上。這裡有一個「雅丹國家地質公園」，俗稱「魔鬼城」。

　　放眼望去，在一片大漠的雄渾的背景下，一幅大自然風蝕地貌群落的壯觀景象映入眼簾。一座座土丘突兀聳立，如同高低錯落、鱗次櫛比的城堡。裡面有城牆、街道、高樓、廣場、教堂，一個個小丘有的似大漠雄獅，有的像絲路駝隊，有的像草原蒙古包，真是千姿百態，氣勢雄渾，令人嘆為觀止。

　　相傳，這裡的人們本來生活得十分快樂。有一天，邪惡和貪欲占據了人們的心靈，人們開始沉湎於享樂，並為爭奪財富而相互廝殺。

　　天神為了喚醒人們的良知，化作一個衣衫襤褸的乞丐來到當地告訴人們，是邪惡使他從一個富人變成了乞丐。然而，他的話並沒有讓這裡的人們覺醒。天神憤怒了，便把當地變成了廢墟，城堡裡的人都被埋到了廢墟

底下。從此以後，每到夜晚，鬼魂在城堡內哀鳴，希望天神能聽到他們懺悔的聲音。至今，當夜幕降臨時，那慘痛的嘶鳴仍舊不停地回響，令人毛骨悚然，於是「魔鬼城」的名字便廣為流傳。

雅丹地貌

其實，這種神祕的景觀不是天神的傑作，而是大自然歷經億萬年的神奇創造。這個地區遠古時期曾是大海，地下河流沖積岩石，形成了河道。海陸變遷後，河道裡淤積的沙土凝結，隆起成為山包。

由於山地的地勢比較高，山上的氣溫相對要低一些。在戈壁地區，夏天的時候，由於地表沒有植被，氣溫比較高。到了晚上，山上的冷空氣和山下的熱空氣發生對流，形成了山谷風。這些大小不等的山包，經過數百萬年的風蝕作用，變得形狀各異、高低錯落，形成頗

具規模的河谷、高矮不等的土崗和如刀刻斧鑿的雕塑。
一個個自然形成的景致，有的像人而非人、有的像鳥而
非鳥，造型千姿百態，惟妙惟肖。人們把這種地貌稱為
「雅丹地貌」。

相關連結

「雅丹地貌」一詞的由來

據考證，「雅丹」又名「雅爾當」，原為維吾爾語，
意為「陡峭的小山丘」。十九世紀末至二十世紀初，瑞典
人斯文·赫定和英國人斯坦因赴羅布泊考察，他們在文章
中多次採用了這個詞彙。於是，「雅丹地貌」一詞便成了
國際地理學界考古學通用的術語，它專指大漠地區的一種
特殊地貌。

「佛光」之謎

　　峨眉山位於中國四川省峨眉山市境內，在四川盆地西南部，地處長江上游，是中國的四大佛教名山之一。峨眉山風景優美，素有「峨眉天下秀」之稱。在峨眉山的金頂可欣賞日出、雲海、佛光和聖燈四大絕景，而其中的「佛光」是峨眉山最壯美的奇觀。

　　當遊客站在峨眉山金頂背向太陽而立，而前下方又彌漫著雲霧時，有時會在前下方的天幕上，看到一個外紅內紫的彩色光環，中間顯現出觀看者的身影，且人動影隨，人去環空。即使兩人擁抱在一起，每個人也只能看到各自的身影。這就是四川峨眉山神奇的「佛光」。「佛光」這種現象在其他地方極為罕見，而在峨眉山卻經常出現，平均每年出現六十多次，多的時候一年甚至出現八十多次，因此人們又把它稱為「峨眉寶光」。

　　在泰山頂端的碧霞祠一帶，也經常出現佛光，當地人稱為「碧霞寶光」。每當雲霧彌漫的清晨或傍晚，遊

人站在較高的山頭上，就可能看到縹緲的霧幕上，呈現出一個內藍外紅的彩色光環，將整個人影或頭影映在裡面，恰似佛像頭上五彩斑爛的光環，故名「佛光」或「寶光」。「佛光」到底是怎麼形成的呢？

佛家認為，只有與佛有緣的人，才能看到此光，因為佛光是從佛的眉宇間放射出的救世之光、吉祥之光。清代康熙皇帝還特地題寫「玉毫光」三字，賜予佛光常現的金頂華藏寺。據說，能看到佛光的地方都是佛教聖地，如黃山、峨眉山等。

其實，「佛光」是一種十分普遍的自然現象，並不神祕，只要具備一定的氣象和地形條件，就可能產生。因為「佛光」在中國的峨眉山金頂最為多見，所以氣象學上甚至將「佛光」現象稱為「峨眉光」。

科學家認為，「佛光」是日光在傳播過程中，經過障礙物的邊緣或空隙時產生的衍射現象。當太陽光從觀察者身後射來，在穿過無數組前後兩個薄層的雲霧滴時，前一個雲霧滴層對入射陽光產生分解作用，後一個雲霧滴層則對被分解出的彩色光產生反射作用。反射光向太陽一側散開或滙聚，這時，站在太陽和雲霧之間的人就能看到環形的彩色光像，這就是「佛光」。

礦產資源篇

　　礦產資源被譽為現代工業的「糧食」和「血液」，是人類社會發展的命脈。人類正是依靠這些大自然賜予的財富，才能在地球上安居樂業。

煤炭是怎麼形成的

　　一二七五年，威尼斯人馬可・波羅歷經四個寒暑的艱難跋涉，來到了中國，一住就是十七年。《馬可・波羅遊記》這本書記述了他沿途見到的東方各國和中國的新奇事情，其中有這樣一段話：「中國人的燃料不是木頭，也不是乾草，而是一種黑石頭……」

　　馬可・波羅所說的「黑石頭」，其實就是煤。人類發現煤的歷史相當長，中國是世界上最早用煤作燃料的國家。遠在三千多年前，我們的祖先就已開始採煤，並用這種「黑石頭」來取暖、燒水煮飯了。

　　人類發現和使用煤炭，雖然已有三千多年的歷史了，但煤是怎樣形成的，卻是最近幾百年才逐步弄清的。

　　煤是古代植物遺體的堆積層被埋在地下後，經過長時期的地質作用而形成的。在遠古時代，地球上還沒有人類。那時的氣候比現在要溫暖濕潤得多，地面上到處生長著茂密高大的植物。森林一批批地生長，又一批批

地死亡。高大的樹木倒下以後，很快就會被水淹沒，這就使得倒下的樹木和氧氣隔絕開來。在缺氧的環境裡，植物體不會很快地分解、腐爛。

隨著倒木數量的不斷增加，最終形成了植物遺體的堆積層。這些古代植物遺體的堆積層在微生物的作用下，不斷地被分解，又不斷地化合，最終變成一種黑褐色或褐色的淤泥狀物質——泥炭。由植物遺體變成泥炭，人們把這一變化過程叫做「泥炭化階段」，它是煤即將形成的前奏。

在淺海和內陸湖沼，由於地殼下降，泥炭層會被陸地上的河流帶來的泥沙掩埋。隨著時間推移，覆蓋在泥炭層上的泥沙會越來越厚，泥炭層會被掩埋得越來越深。泥炭層一方面受到上面的泥沙、岩石的沉重壓力；另一方面，又受到地熱的作用。在這樣的條件下，泥炭層比重不斷加大，而且石炭的含量逐漸增加，氧的含量逐漸減少，腐殖酸的含量逐漸降低，泥炭就變成了褐煤。褐煤繼續受到高溫和高壓的作用，就逐漸變成了煙煤或無煙煤。

相關連結

地 下 煤 火

　　有煤的地方就有地下煤火。從世界範圍來看，地下煤火主要發生在印尼、中國和印度。僅印尼就有超過一千處的地下煤火在燃燒；中國自燃煤火每年燒掉二億噸煤，相當於美國全部能源消費的五分之一。

「冰中之火」可燃冰

在煤炭、石油、天然氣等傳統能源儲量有限的情況下，世界各地的科學家正努力尋找清潔高效的新型能源，以取代日益減少的傳統能源。科學家們透過研究認為，儲量豐富的「可燃冰」是未來理想的新型戰略能源。

自二十世紀六〇年代以來，人類陸續在凍土帶和海洋深處發現了一種可燃燒的、外形像冰的固體物質，這就是「可燃冰」。可燃冰被稱為天然氣水合物，主要由水分子和甲烷組成，所以也稱它為甲烷水合物。海底可燃冰的分布範圍約占海洋總面積的百分之十，是迄今為止在海底發現的最具價值的資源，可供人類使用一千年。

陸地上的可燃冰都儲藏在永久凍土帶。二〇〇九年九月二十五日，中國國土資源部宣布：在中國青海祁連山南緣永久凍土帶成功鑽獲天然氣水合物，也就是可燃冰，這對認識天然氣水合物的形成規律和尋找新能源具有重大意義。

但是以人類目前的技術，開採可燃冰面臨著許多難題。首先，開採可燃冰可能導致大量溫室氣體排放，污染環境。可燃冰中甲烷的總量大致是大氣中甲烷數量的三千倍。作為溫室氣體，甲烷比二氧化碳所產生的溫室效應要大得多。而且可燃冰非常不穩定，在常溫和常壓環境下極易分解。許多學者認為，可燃冰礦藏哪怕受到最小的破壞，都足以導致甲烷氣體的散失。而這種氣體進入大氣，無疑會增加溫室效應，進而使地球升溫更快。

　　一旦可燃冰中的甲烷大量釋放，造成的溫室效應比二氧化碳要大十到二十倍。哪怕氣溫不過增高幾度，都可以導致這些氣體揮發，並且以脈衝式噴發進入大氣，促使溫度進一步升高，並排放出更多尚未釋放的甲烷，暖化地球和深層海水，如此不斷循環。這種連鎖反應一旦觸發，將造成全球性變暖失控，後果不堪設想。

　　科學家證實，地球至少發生過兩次甲烷大爆發。最早的一次災難發生在兩億五千一百萬年前，當時發生了一連串的甲烷脈衝式噴發活動，幾乎讓地球上的所有生物全部滅絕。最近一次浩劫發生在大約五千五百萬年前，當時甲烷發生了脈衝式噴發，造成地球急速暖化及生物大量滅絕，這種異常的氣候持續了十萬年以上。

「深海珍寶」錳結核

一八七三年二月十八日，正在做全球海洋考察的英國調查船「挑戰者號」在非洲西北加那利群島的外洋考察，從海底採上來了一些土豆大小的深褐色的物體。剖開以後，人們發現這種團塊是以岩石碎屑、動植物殘骸的細小顆粒、鯊魚牙齒等為核心，呈同心圓狀一層一層長成的，就像一塊切開的洋蔥。由此，這種團塊被命名為「錳結核」，現代人又稱它為「多金屬團塊」。經初步化驗分析，這種沉甸甸的團塊是由錳、鐵、鎳、銅、鈷等多金屬的化合物組成的，而其中以氧化錳為最多。

人們可以從錳結核中得到多種急需的原材料，有些原材料在陸地上的資源極為稀少，例如鎳、鈷，只有少數國家和地區出產，大多數國家都需要高價進口。隨著科學技術的發展，一些稀有元素的需要量日益增加，日趨嚴重的資源危機使許多國家，特別是發達國家憂慮重重。

　　而新興的深海採礦業給人們帶來了福音，大洋底是無限的資源寶庫。據估計，海洋中蘊藏的銅比陸地多一百五十倍，鎳多一千五百倍，鈷多五千倍，錳多四千倍。錳結核含有鐵、錳、銅、鈷、鎳等五十多種金屬元素、稀土元素和放射性元素，尤其是錳、銅、鈷、鎳的含量很高。錳在煉鋼中不可少，銅是用途極廣的重要戰略物質，鎳是製造不銹鋼的關鍵元素，鈷可用來製造高溫合金和高級合金。人們估計，世界各大洋錳結核的總儲量約為三萬億噸，其中包括錳四千億噸，鎳一百六十四億噸，鈷九十八億噸，銅八十八億噸。以當今的消費水平計算，這些錳可供全球人類用三萬三千年，鎳可使用兩萬五千三百年，銅可使用九百八十年。

　　錳結核不僅儲量巨大，而且還會不斷地生長。它生長的速度因時因地而異，平均每一千年長一毫米。以此計算，全球錳結核每年增長一千萬噸。錳結核堪稱「取之不盡，用之不竭」的可再生多金屬礦物資源。

　　至今還沒有人知道錳結核的真實來歷，雖然有關理論很多，但均未得到驗證。比較可信的理論是，錳結核是由海面浮游生物在新陳代謝活動中，聚集了海水中的金屬而形成的，因為浮游生物帶幾乎與錳結核分布區相

吻合。專家們相信，一些微生物能夠從海水中提取金屬，並將這些金屬組合成食物。食物被食用後，排泄物便掉到海底，經常會包圍住珊瑚蟲、玄武岩等外界物質，於是就形成結核石，並逐漸生長。也有人認為，一種未知的環境因素能夠在海水中產生金屬離子，附著在浮游生物的排泄物上，形成錳結核。

中東為什麼是「世界油庫」

　　「中東」是指從地中海東部到海灣地區的大片區域。中東素有「世界石油寶庫」之稱，世界已探明的石油可開採儲量約一千多億噸，其中中東的儲量就達七百億噸，占世界總儲量的百分之七十。中東的石油年產量約占世界總產量的三分之一，是世界能源的供給中心。

　　為什麼中東地區有如此多的石油呢？

　　根據目前的石油地質理論，眾多學者認為，中東地區地處亞歐板塊、非洲板塊、印度洋板塊的交界處，地質運動活躍。大約一億多年前，該地區被子植物和裸子植物生長茂盛。同時，該地區靠近海洋，氣候適宜，浮游生物繁殖快，動物進化也較快，而且種類繁多。

　　這些生物死亡後，遺體堆積在水底，和泥沙一起沉積到水下的淤泥中，並不斷地被新的泥沙掩埋。在這種缺氧的環境裡，在厭氧細菌的分解作用下，生物遺體中含蛋白質的化合物被破壞了。在分解過程中，一些氣體

和能溶於水的產物散失掉了，剩下的生物遺體便形成了有機淤泥。

中東的油田

這些有機淤泥在高溫、高壓的進一步作用下，逐漸轉化為液態的石油和氣態的天然氣。

剛剛形成的石油，都是一些很小的分散的油滴。通常這些小油滴是隨著水到處移動的，它們從這個岩層「旅行」到另一個岩層。在運動過程中，由於受重力作用和地殼運動產生的擠壓作用，這些小油滴就被驅趕到上下都較嚴密的岩層中。由於中間是多孔的砂岩或者多裂縫的岩石，下面是嚴密而不易滲漏的頁岩或泥灰岩，十分便於石油的聚集。在多孔的砂岩或者有裂縫的岩石中，小油滴越聚越多，油田就逐漸形成了。

中東地區較其他地區低矮，呈盆地狀，猶如「盆底」，容易使石油滙聚其中。這樣，具備這種得天獨厚的油氣儲藏條件的中東地區，就成為了當之無愧的「世界油庫」。

 **相關連結**

原油的顏色

從地下開採出來的石油被稱為原油，一般人都認為原油是黑色的。其實，原油的顏色非常豐富，有紅色的、金黃色的、墨綠色的、黑色的，還有的原油甚至是透明的。顏色越淺的原油油質越好，一些透明的原油甚至可直接加在汽車油箱中，代替汽油。

用途廣泛的稀土

一七八七年，瑞典軍人阿倫尼烏斯從斯德哥爾摩附近伊脫比的一位礦工工頭手裡，得到了一塊形似瀝青的重質礦石。這塊稀有的礦石後來輾轉落到芬蘭化學家加多林手裡。一七九四年，加多林從這塊礦石中分離出一種白色的物質，經分析後，證明裡面含有一種新的「元素」。古希臘哲人認為，世間萬物皆由空氣、水、火和土構成，他們把元素的氧化物都稱為「土」，認為這些「土」都是不能繼續分解的元素。加多林沿襲舊例，把這種從稀世礦石中分離出來的「土」叫做「稀土」。一八〇八年，英國化學家戴維證實「稀土」實際上是氧和金屬元素構成的金屬氧化物，而不是一種元素。從此，人們用「稀土」一詞代表一類元素，一直沿用至今。

稀土元素是元素週期表中最大的一族，在天然產出的八十三種元素中，稀土元素占有大約五分之一的席位，它包括鈧、釔和十五種鑭系元素。除鈧以外，其他

十六種元素的化學性質極相似，在礦物中總是共生在一起，如膠似漆，很難將它們分離開來，獲得純淨的單一元素。而且它們的化學性質十分活潑，不容易還原為金屬。

其實，我們每天都會與稀土材料打交道，因為我們日常使用的電腦和電視機就含有稀土材料。由於稀土元素具有特殊的電子層結構，可以將吸收到的能量轉換為光的形式發出，因此可用稀土元素來製造電器顯像管中的熒光粉。這種熒光粉的使用效果遠遠比非稀土硫化物紅色熒光粉要好。

稀土氧化物還可以用於製造特種玻璃。比如，含稀土元素鑭的玻璃是一種具有優良光學性質的玻璃，這種玻璃具有高折射率、低色散和良好的化學穩定性，可用於製造高級照相機的鏡頭和潛望鏡的鏡頭。稀土氧化物還可以用來製造彩色玻璃。例如加入稀土元素釹可使玻璃變成酒紅色，加入稀土元素鐠可使玻璃變成綠色，加入稀土元素鉺可使玻璃變成粉紅色。這些彩色玻璃色澤變幻莫測，可以用來製造精美的裝飾品。

稀土元素在保障我們的健康方面也有重要作用。稀土化合物可以用於止血，不僅止血作用迅速，而且可持

續一天左右。稀土藥物對皮膚炎、過敏性皮膚炎、牙齦炎、鼻炎和靜脈炎等多種炎症都有不錯的療效。比如使用含鈰鹽的稀土藥物，能使燒傷患者創面炎症減輕，加速傷口癒合。稀土元素的抗癌作用更是引起了人們的普遍關注。稀土元素除了可以清除身體內的有害自由基外，還可使癌細胞內的鈣調素指數下降，抑癌基因的指數上升。

瑙魯為何由富變窮

瑙魯是大洋洲上最小的國家，面積為二十二平方公里，周長僅十九公里。即便步行，周遊全島也只需半天時間。

起初，瑙魯只是一個默默無聞的小島。島民們以捕魚獵鳥為生，倒也自在，唯一讓島民煩惱的問題，就是島上的水總是鹹的，他們只好整天喝椰子汁解渴。有一天，島上的一位居民將一塊紋理奇特的石頭作為禮物，送給一位澳大利亞的朋友。一位好奇的英國公司職員偶然看見了它，便剝了一小塊去化驗，發現它竟然是品位很高的磷酸鹽礦石。

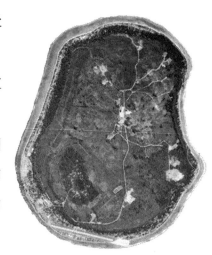

島國瑙魯

原來，瑙魯在歷史上曾是鳥的天堂。無數的海鳥在這裡棲息繁衍，日積月累，滿地的鳥糞、鳥蛋逐漸變成了豐富的磷酸鹽礦。磷酸鹽礦占瑙魯總面積的六分之五，鳥糞層厚達五、六公尺。這種磷酸鹽可製造成優質磷肥，是很好的化工原料。其純度高達百分之八十以上，總蘊藏量約達一億噸。

瑙魯因磷酸鹽礦的發現變得身價百倍，只要掘土出售，就能換回大量外滙，真是一個寸土寸金的寶島。瑙魯從一九〇七年開始採掘磷酸鹽礦，年產量達到兩百萬噸，成為世界第五大磷酸鹽礦生產國。每年出口的磷酸鹽為瑙魯人帶來了上億美元的收入。因為人少，瑙魯的人均國民收入遙居亞太地區之首，島民全都成了富翁。島民的生活悠閒富裕，他們住在依山傍海、綠樹環抱的別墅中，家家擁有小汽車、冰箱、彩電、空調、電話等現代化生活用具。孩子上學不僅不用交學費，政府還發給零用錢。大人由政府安排工作，賺了錢不必付稅，看病、吃藥全部免費……

進入二十世紀八〇年代後，瑙魯磷酸鹽的出口急劇減少。更糟糕的是，二十世紀九〇年代後，隨著瑙魯磷酸鹽幾近枯竭，磷酸鹽開採活動也幾乎全面停滯。

一九九五年，瑙魯陷入了嚴重的財政危機。現在，瑙魯島內通訊系統癱瘓，食品供應困難，國家面臨著破產。面對瑙魯慘淡的未來，有人建議澳大利亞「收編」瑙魯；也有人提出，瑙魯舉國遷往太平洋上一個無人居住的小島，另起爐灶。瑙魯的未來究竟會如何，目前還不得而知。

「貴金屬之王」

　　鉑又叫白金，是世界上最稀有的金屬之一。鉑在地殼中不僅含量少，而且分布得很分散。通常從幾十噸礦石中，只能得到一克白金，所以它被稱為「貴金屬之王」。

　　人類對鉑的認識和利用遠比黃金晚，只有三千多年的歷史。西元前一千二百年，埃及人從古努比亞王國進口了黃金，其中包含鉑金的成分，他們用這種金屬混合物製造首飾和裝飾品。西元前七百年，底比斯王的女兒希帕紐普特大祭司被埋葬在石棺中，上面飾有黃金和鉑金的文字。在墳墓中，還有一個用鉑金製成的小首飾盒。

　　考古資料證明，遠在哥倫布發現新大陸之前，中美洲的印第安人中就盛行過鉑金飾物。然而，歐洲的人們對鉑金一無所知。十六世紀初，大批的西班牙冒險家到非洲和美洲探金尋寶。當時，人們在厄瓜多爾的河流中淘金時，發現有一種白色金屬混雜在黃金中，其實那就是鉑金。但由於當時科學不發達，識別能力低下，人們急於尋找黃

金，把鉑金稱為「劣等碎銀」，丟回了河流中。

　　一七五一年，當瑞典科學家特非爾‧西佛將鉑金歸類為貴重金屬之後不久，鉑金就成為皇家的最愛。一七八〇年，巴黎一位能工巧匠為法國的路易十六國王和王后製造了鉑金戒指、胸針和項鏈。於是，路易十六夫婦成為世界上有記載以來，最早擁有鉑金飾品的人。從此，鉑金聲譽大振，位居黃金之上，為皇親國戚、達官貴人所寵愛。十九世紀晚期，對於鉑金的狂熱席捲歐洲和俄國。國王、王後以及王公們紛紛用鉑金作飾品，甚至在皇袍上使用鉑金線。西班牙國王卡羅斯四世下令在阿蘭惠斯王宮中建造一間鉑金宮室，整個房間用鑲嵌鉑金的硬木裝飾，反映了那個年代的奢華和輝煌。

　　第二次世界大戰期間，隨著戰爭全面爆發，鉑金在美國被宣布為戰略金屬，用於製造武器，並被禁止用來製造首飾。在戰後，隨著人們對首飾的日益熱衷，鉑金飾品再次風行起來。因為鉑金擁有一項出色的品質：柔韌性極好。只需一克鉑金，就可以拉成超過兩公里長的細絲。這種柔韌性，加上鉑金的強度，令珠寶商們能夠創造出極其柔韌的網狀鉑金首飾，而其他貴重金屬絕對無法做到這一點。

夜明珠之謎

　　夜明珠在中國古代又叫夜光珠、夜光石、放光石等，相傳是極為罕見的夜間能發出強烈光芒的異寶。一直以來，在中國只有歷代帝王和王公貴族才能擁有，一般平民百姓根本不敢問津。在國外也是如此。據說在古代希臘和羅馬，個別帝王把夜明珠鑲嵌在宮殿裡或者戴在皇冠上，有的皇后、公主把它

夜明珠

裝飾在首飾上或者放在臥室裡。

　　夜明珠究竟是一種什麼樣的珍寶？古今中外的說法頗不一致。據一些專家考證，夜明珠並不像某些人所吹噓的那樣神祕，它只是幾種特殊的礦物或岩石，經過人們加工而成的圓石頭。自然界的礦物種類數以千計，其

中有二十多種礦物在外來能量的激發下，能發出可見光，這就是礦物的發光性。

夜明珠發出的光，並不像傳說中的那樣，能把房間照得如同白晝。發光強度較大的夜明珠，晚上的時候，人們在距離它二十公分的地方，才能清楚地觀看印刷品。

有些科學家認為，夜明珠是一種螢石礦物，發光原因與它含有稀土元素有關，是礦物內有關的電子移動所致。礦物內的電子在外界能量的刺激下，會由低能狀態進入高能狀態。

當外界能量刺激停止時，電子又由高能狀態轉入低能狀態，在這個過程中就會發光。螢石中含有稀土元素，在日光燈照射後可發光幾十個小時，白天、晚上都在發光。這種光白天看不出來，晚上就可以看到了。螢石雕琢成珍珠的樣子叫夜明珠，雕成玉板就叫夜光璧。

一些寶石學家則認為，夜明珠之所以發光，是因為螢石成分中混入了硫化砷和碳氫化合物。白天，這兩種物質能發生「激化」，到晚上再釋放出能量，變成美麗的夜光，並且能在一定的時間內持續發光，甚至永久發光。

以上只是一部分專家的看法，不一定全面、準確。夜明珠有許多奧祕，至今還沒有被人們了解。據說，有一種水晶夜明珠，能發出火焰般的夜光，但其中的發光物質究竟是什麼，至今仍是一個千古之謎。

瑪瑙湖是如何形成的

瑪瑙也許並不罕見，但如果說有一個地方，在幾十平方公里甚至更大的面積內，遍地都是瑪瑙，恐怕就沒多少人敢相信了。然而，在內蒙古西部的茫茫戈壁之中，就有一個神奇的「瑪瑙湖」。瑪瑙湖的總面積大約為四萬平方公里，僅湖心地區就達幾十平方公里。一顆顆圓潤可愛的瑪瑙如雞蛋般大小，色彩斑斕，有白色、淡黃色、橘黃色、灰色和紅色，猶如百花爭豔，形成了戈壁灘上的一大奇觀。瑪瑙湖裡不但有瑪瑙，還有蛋白玉、風凌石、水晶石等多種寶石，是一處名副其實的璀璨寶地。

瑪瑙湖的湖底鋪滿了晶瑩透亮的瑪瑙石。每當晚霞初降，在幾十公里外便可看到瑪瑙湖中的瑪瑙將斜陽的光束染紅，並折射上天空。如果湖面上有白雲經過，瑪瑙折射的光芒便將白雲變成五色彩雲，令人驚嘆不已。

普通瑪瑙在寶石中的價值並不高，但是其中的珍品卻價值連城。在瑪瑙湖就曾發現過世界上最為奇特的「瑪

瑙雛鷄」。從表面看，它似乎就是一個鷄蛋形的石頭。然而，當科研人員用激光照射這塊鷄蛋形的石頭時，眼前的奇景使得他們簡直不敢相信自己的眼睛。原來，在石頭裡面竟然有一隻化石小鷄，小鼻子、小眼睛、小嘴巴栩栩如生。通常的動物化石是硅化物，而這隻活靈活現的小鷄卻俏皮地身處億萬年風雨的傑作——瑪瑙之中。

相傳在很久很久以前，這片戈壁灘是一個清澈透底的大湖。湖中碧波蕩漾，天水一色。天上的仙女被這美麗的湖吸引了，紛紛飄入湖中洗浴。她們在水中嬉戲，歡樂無比，竟忘了回天庭。忽聞天鼓震響，仙女們匆匆離去，慌忙中丟下了許多珠寶，變成了現在的瑪瑙、碧玉。

當然，這只是傳說，瑪瑙湖的真正成因是什麼呢？

科學家們分析，此地的玄武岩是一億多年前火山噴發的產物。由於火山氣體迅速散逸，岩石中留下許多氣孔和空洞。飽含二氧化硅的火山岩漿無孔不入，填滿了這些氣孔和空洞。經長期演化，形成了瑪瑙和碧玉。強烈的風化剝蝕作用，使瑪瑙和碧玉從玄武石中解脫出來，散落在荒漠上，狂風暴雨又將它們帶入湖中。由於連年乾旱，湖水乾涸，露出鋪滿瑪瑙、碧玉的湖底，於是便有了這奇特罕見的自然景觀——瑪瑙湖。

未來的金屬——鈦

　　鈦對於我們來說是比較陌生的，因為我們真正認識它的本來面目只是近些年的事情。鈦是一種不尋常的金屬，它具有質量輕、強度大、耐熱耐冷、耐腐蝕和原料豐富五大優點。

　　鈦主要存在於陸地上的岩漿岩中。岩漿岩被河流搬運到海邊沉積下來，形成含有鈦的鈦鐵礦和金紅石，它們是鈦的重要來源。此外，主要的含鈦礦物還有鈦磁鐵礦、鈣鈦礦等，它們大都分布在地質歷史時期岩漿活動劇烈的地方。中國是世界上鈦儲量最多的國家，鈦的探明儲量占世界探明總儲量的 70%以上。

　　純淨的鈦是銀白色的金屬，它的硬度和鋼鐵差不多，重量卻只有同體積鋼鐵的一半。據試驗，如果採用鈦和鈦合金作為火車頭的蒸汽機零件，可以比鋼製的蒸汽機輕百分之三十，而且更為堅固耐用。鈦耐高熱，在一千六百六十八℃的高溫下才熔化，比號稱「不怕火」的黃金的熔點

還高六百℃左右。鈦在常溫下很穩定，就是在強酸、強鹼的溶液裡，甚至在王水中，也不會被腐蝕。有人曾把一塊鈦片沉到海底，經過五年後取出來，還是亮閃閃的，沒生一點銹。

　　正因為這樣，鈦在現代科學技術上有著廣泛的用途。隨著航空工業的發展，飛機的飛行速度也越來越快。特別是當飛機的飛行速度達到音速的二、三倍時，飛機表面與空氣摩擦產生的高溫可達四、五百攝氏度。這時，常用的鋁鎂合金便難以承受，必須由鈦合金來取而代之。

航太工業離不開鈦

　　除了用於製造飛機之外，鈦在宇宙空間也大顯神通。現在，鈦及鈦合金主要用來製造火箭、導彈發動機的外殼、燃料和氧化劑的儲存箱以及宇宙飛船的船艙、骨架等，可使導彈、火箭、宇宙飛船的重量減輕數百公斤。這不但能很好地改善它們的飛行性能，而且可以節

省大量昂貴的高級燃料，降低製造和發射費用。所以，人們又把鈦稱為「空間金屬」。

　　鈦在熔化的狀態下，具有很高的化學活性，很容易與空氣中的氮、氫、氧發生劇烈的化學反應。熔化的鈦只要和氧、氮一接觸，就會失去那些優秀的屬性，變得又脆又硬。因此，它的熔煉與鑄造必須在真空下進行。這就造成了鈦及其合金的精鑄技術大大難於鋁和鋼，需要借助高科技手段才能實現。

人文地理篇

　　人類創造了輝煌燦爛的文明，讓地球變得更加多姿多彩。只有做到人與自然和諧統一，人類的文明才能延續發展。

各大洲名稱的由來

　　世界七大洲是指亞洲、歐洲、北美洲、南美洲、非洲、大洋洲以及南極洲。在七大洲中，亞洲面積最大，它的名字也最為古老。亞洲是亞細亞洲的簡稱，意思是「太陽升起的地方」，相傳這個名字是古代腓尼基人取的。三千多年前，腓尼基人在地中海東岸建立了腓尼基王國。他們具有精湛的航海技術，活躍於整個地中海，並首次進行環繞非洲的航行。他們善於經商，創造出了腓尼基字母，世界許多民族的文字都是由腓尼基字母發展而來。腓尼基人把地中海以東的陸地一律稱為「Asu」，意思是「東方日出處」，「亞細亞」這個詞就是從腓尼基語「Asu」演化而來。

　　歐洲的全稱是歐羅巴洲。在希臘神話中，「萬神之王」宙斯看中了腓尼基國王漂亮的女兒歐羅巴，想娶她做妻子，但又怕她不同意。一天，歐羅巴在一群侍女的陪伴下到大海邊遊玩。宙斯變成一頭溫順的大白牛，來

到歐羅巴的身邊。歐羅巴看到這頭可愛的白牛，便好奇地跨上了牛背。大白牛馱著歐羅巴跳入海中，跨海來到克里特島。後來，宙斯帶著歐羅巴到了遠方的一塊陸地共同生活。這塊陸地於是以這位美麗公主的名字命名，叫做「歐羅巴洲」了。

美洲是亞美利加洲的簡稱，它分為北美洲和南美洲兩部分。儘管哥倫布早在一四九二年就已發現了美洲，然而他卻誤認為這塊大陸是亞洲的一部分。七年之後，一位名叫亞美利哥・維斯普奇的航海家沿著哥倫布所走過的航路航行，到達了美洲大陸。亞美利哥透過對南美洲東北部沿岸的詳細考察，確信這塊大陸是世界上的另一個大洲，並繪製了最新地圖。後來，人們就把那塊大陸稱為「亞美利加洲」。

非洲是阿非利加洲的簡稱。對於阿非利加一詞的由來，流傳著不少有趣的傳說。一種傳說是，古時候也門有位名叫阿非利庫斯的酋長，於西元前二千年侵入北非，在那裡建立了一座名叫阿非利加的城市，後來人們便把這個大陸叫做阿非利加。

大洋洲的意思是大洋中的陸地。過去，大洋洲也曾被稱為澳大利亞洲，簡稱澳洲，因為澳大利亞的面積占

了大洋洲面積的百分之八十五以上。大洋洲的名稱最早出現於一八一二年前後，由丹麥地理學家馬爾特·布龍命名。

一七三八年，法國人布維航海時發現了南極大陸附近的一個島，也就是今天的布維島。英國人庫克曾於一七七三年左右到達過南極大陸周圍許多島嶼。但是，現在一般認為南極大陸是十九世紀時被發現的。據說，美國人於一八二〇年首次看見南極大陸。因為該大陸處在地球的最南端南極的周圍，因此被稱為「南極洲」。

四大洋名稱的由來

四大洋是指太平洋、大西洋、印度洋和北冰洋，這四個大洋的名稱是怎麼來的呢？

太平洋最初沒有統一的稱呼，現在使用的名稱是葡萄牙著名航海家麥哲倫所起的。一五一九年，這位探險家帶著由幾隻帆船組成的船隊橫渡大西洋，幾個月後到達南美洲的巴西海岸。接著，他們沿海岸繼續向南航行，抵達南美洲最南端，然後從東向西穿過一條曲曲折折的海峽——後來以他的名字命名的麥哲倫海峽，進入了太平洋海域。麥哲倫發現這裡波平如鏡，與波浪滔天的大西洋形成鮮明的對照，因此，他給這片大洋起名為「太平洋」。

大西洋在西方各種語言中被稱為「阿特蘭他洋」。這個名字源於古希臘神話中的英雄阿特拉斯。在古希臘神話中，阿特拉斯是普羅米修士的兄弟。普羅米修士因盜取天火給人類而觸犯了天條，被眾神之王宙斯處以酷

刑，綁在高加索山上，讓雄鷹啄其心肝。阿特拉斯也因此受到誅連，宙斯令他肩扛巨大的地球，永遠不准放下。這位頂天立地的大力神住在極遠極遠的西邊，人們看到大西洋海域寬廣，無邊無際，以為它就是阿特拉斯的棲身之所，就把它稱為「阿特蘭他洋」。直到十七世紀中期，西方各國才把「阿特蘭他洋」一名擴大到大西洋北部。

印度洋在中國古代被稱為「西洋」。在古希臘時期，著名地理學家、歷史學家希羅多德曾稱之為「厄立特里亞海」，意思是「紅海」。初時指的可能就是現在的紅海，以後人們穿過曼德海峽，發現還有更大的海域，就用這個名稱泛指整個印度洋。到古羅馬時期，印度洋被羅馬人稱為「魯都姆海」，但這個名字只不過是希臘語「厄立特里亞」的意譯，也是「紅海」的意思。同一時期，印度洋還被人們稱為「南海」、「東海」等等。

直到十五世紀末，葡萄牙著名航海家達伽馬為了尋找通往印度的航線，繞過非洲南端的好望角進入這個大洋後，才開始使用印度洋這個名稱。這個名稱逐漸為人們所接受，成為通用的名稱。

北冰洋名稱的由來，一是因為它處於以北極為中心的地區，二是因為這一地區氣候嚴寒，洋面上常結著厚厚的冰層。所以，人們稱之為「北冰洋」。在好幾個世紀以前，人們一直想在北極中央地區找到一塊大陸，有人甚至把一層廣闊而又平坦的冰原錯認為是土地。到了十九世紀末期，科學家們才確定北極中央並沒有陸地。也就是說，在地球的最北部，以北極為中心的周圍地區，是一片遼闊的水域。這片水域，就是北冰洋。北冰洋這個名稱來自希臘語，意思是「正對大熊星座的海洋」。一八四五年，在英國倫敦地理學會上，北冰洋的名字被正式確定下來。

 **相關連結**

「西洋」在哪裡

元末明初，中國將東西洋以蘇門答臘島西北的亞齊為界區分開，亞齊以東稱為「東洋」，以西稱為「西洋」。明萬曆以後的東西洋以文萊為界，文萊以東稱「東洋」，以西稱為「西洋」。我們平常所說的明代大航海家鄭和下西洋，指的是印度洋一帶。

橫跨四個半球的國家

在浩瀚的太平洋上，有一個世界上唯一地跨赤道而又橫跨國際日期變更線的國家，它就是基里巴斯。離它最近的國家澳大利亞也有四千六百多公里，從澳大利亞乘飛機去那裡至少需要十四個小時。因此，它被稱為「地球上最偏遠的國家」和「世界的盡頭」。

一七八八年，英國海軍軍官吉爾伯特到這裡勘察，並將該島群以自己的名字命名為「吉爾伯特群島」。此後，該島群及鄰近島嶼逐漸淪為英屬殖民地，直到一九七九年才贏得獨立。由於「吉爾伯特」按當地人發音讀作「基里巴斯」，於是當地人定國名為基里巴斯共和國。由於該國直到一九七九年才從英國的統治下獨立出來，所以一八八四年劃定「國際日期變更線」時，這條線從該國中間穿越而過，所以基里巴斯也是世界上唯一須用兩本不同日曆的國家。

基里巴斯由三百多個島嶼組成，陸地面積只有六百

八十四平方公里，全國三分之二的人口集中在拜里基島上的首都塔拉瓦。拜里基島的形狀如一彎新月，最寬處為一千五百公尺，最窄處僅三十公尺。這個島上只有一條馬路，國內的主要機關、企業、商店、學校、醫院、賓館等，全部散落在道路的兩側。不過，這裡乃至基里巴斯全國都沒有報紙、電視臺和電影院，只有一家私人廣播電臺會時不時地播放一些音樂或新聞。

基里巴斯全國東西跨度近四千公里，南北寬兩千公里。由於國土高度分散，海域遼闊，正好位於東西南北四個半球的交滙處，成為世界上唯一處於這樣一個交叉點上的國家。如果你在那個交叉點上仰臥並張開四肢，你就會同時到達地球上的四個半球；而在另一個意義上，你的身體一半在今天，另一半在明天。

由於國際變更線穿越了這個國家的國土和水域，不僅使基里巴斯東西之間有四個小時的時差，而且成了世界上唯一一個一國之中存在兩個日期的國家。基里巴斯人經常是在國際日期變更線以西的塔瓦拉過星期天，第二天去國際日期變更線以東的聖誕島，過的依然是星期天。如果是歲末年初，這裡的許多人會連續過兩個新年。

歐洲的「袖珍國」

　　歐洲有幾個人少地狹的國家，它們或夾在兩國之間，或處於某國之中，成為「國中之國」，人們把這樣的國家形象地稱為「袖珍國」。歐洲的「袖珍國」，一般指列支敦士登、安道爾、摩納哥、聖馬力諾和梵蒂岡這五國。這些國家雖然很小，但都有十分悠久的歷史。

　　列支敦士登大公國位於阿爾卑斯山北坡，在瑞士和奧地利之間。列支敦士登於一七一九年建立公國，由神聖羅馬帝國賜名為列支敦士登，曾為德意志聯邦的一部分，一八六六年宣布獨立。該國原為落後的農業國，第二次世界大戰後經濟發展迅速，成為世界上最富有的國家之一。它是歐洲唯一保持中世紀古香古色面貌的國家，藏有很多珍貴的古典名畫。戰後，該國旅遊業發展很快，每年接待高於國內總人數好幾倍的國外遊客。列支敦士登的對外事務和在國外的利益，以及郵政、關稅等均由瑞士代管，和瑞士組成中立聯盟，這使它在二戰

前和戰爭中免受德國的侵略。一九九〇年，列支敦士登加入聯合國。

安道爾公國位於法國與西班牙交界的比利牛斯山脈南坡的盆地裡，是歐洲五個袖珍國中最大的一個，其首都也叫安道爾。公元九世紀時，安道爾建立了公國。從一二七八年起，由法國和西班牙共享安道爾的宗主權。所以它的國家元首不是本國人，而是法國的總統和西班牙塞奧·德·烏赫爾教區的主教。至今，安道爾每年仍向兩位元首進獻象徵性貢品。每逢單數年向法國進貢九百六十法郎，相當於一百多美元；雙數年則向西班牙進貢四百三十比塞塔，相當於兩美元。同時還有火腿二十隻，醃雞十二隻，奶酪十二塊。

摩納哥公國位於法國的東南端，三面被法國包圍，一面瀕臨地中海。一三三八年，摩納哥成為獨立公國，受到西班牙、法國的保護。一九一一年，摩納哥建立獨立的君主立憲國。一九一九年，摩納哥同法國簽訂的條約規定，一旦國家元首逝世而且他沒有男性後裔，摩納哥將併入法國，但此條約已在二〇〇二年廢除。摩納哥背山面海，風景優美，是歐洲著名的旅遊勝地。它的首都蒙特卡洛擁有聞名天下的賭場，每年接待國外遊客約

一百萬人，旅遊收入占國家收入的一半以上。

聖馬力諾共和國位於亞平寧半島中部，四周被義大利包圍，是歐洲現存的最古老的共和國。該國無重要工業，旅遊業和郵票業是國家收入的重要來源。它發行的郵票以圖案別致、色彩鮮豔、製作精美聞名世界，有「郵票之國」的美稱，郵票業收入約占國家總收入的五分之一。

梵蒂岡城國位於義大利首都羅馬城西北角的高地上，其領土包括聖彼得廣場、聖彼得大教堂、教皇宮及博物館等，面積〇‧四四平方公里，人口約一千人。一八七〇年，義大利完成了統一，教皇退居現在的梵蒂岡城。該國是一個具有特殊形態的政教合一的國家，在宗教上是各國天主教會的領導中心。梵蒂岡沒有工農業生產，卻是一個龐大的金融帝國。它在世界各大銀行有巨額存款，在義大利和其他國家有幾百億美元的投資，在國外還有大量的地產，有「金元教國」之稱。

一個國家多個首都

世界上大多數國家都只有一個首都，但也有少數國家有兩個首都，有的國家甚至有四個首都。

南美國家玻利維亞共和國有兩個首都。蘇克雷是玻利維亞的法定首都，最高法院所在地。它原本是一個印第安人村落，名為丘基薩卡，十六世紀後才發展為一個城市。波利維亞獨立後，該市以第一任總統蘇克雷之名命名。蘇克雷面積不大，由於該市的居民住宅多為白色，因此又被稱為「白城」。拉巴斯是波利維亞的另一個首都，位於波利維亞高原東部，它在西班牙語中的意思是「和平」，波利維亞中央政府和國會都在此地。拉巴斯市中心海拔約三千七百公尺，是世界上海拔最高的首都。

世界上有三個首都的國家是南非共和國。它的三個首都分別設在三個省的省會。行政首都設在豪登省的普勒托利亞，是全國政治、經濟、交通中心，人口約五十

八萬；司法首都設在自由邦省的布隆泉，人口約十八萬；立法首都設在開普省的開普敦，是南非的第二大港口，人口約一百一十萬。一百多年前，在南非這塊土地上存在四個自由邦，分別是：開普共和國，首府在開普敦；納塔爾共和國，首府為德班；德蘭士瓦共和國，首府為比勒陀利亞；奧蘭治共和國，首府為布隆方丹。這些小邦都是英國的殖民地。一九一〇年，英國將開普、納塔爾、德蘭士瓦、奧蘭治四個小邦組成南非聯邦。在確定南非聯邦的首都時，各個共和國互不相讓，爭吵不休。最後，大家達成妥協，把行政首都定為普勒托利亞，立法首都定為開普敦，司法首都定為布隆方丹，剩下的德班則專門負責貨物的進出口。一九九四年，新南非成立以後，沿用了舊時的傳統，依舊保留了三個首都。

世界上有四個首都的國家是沙烏地阿拉伯王國。利雅得是沙烏地阿拉伯的行政首都，這裡的人口有一百三十萬，為全國第一大城市，是全國政治、商業、教育中心，城中心有八平方公里的土地為國王與王室居住的特區。紅海東岸的吉達港是這個王國的第二大城市。吉達城北部的阿卜杜勒・阿齊茲國際機場是目前世界最大的現代化國際機場之一，每小時能接待一萬名旅客。沙烏

地阿拉伯的主要政府機關與外交部都駐紮在吉達城，因而這裡成為沙烏地的外交首都。麥加是伊斯蘭教先知穆罕默德的誕生地，為伊斯蘭教的第一聖城，是世界穆斯林朝拜的中心。伊斯蘭教是沙烏地阿拉伯的國教，因此麥加也就成為該國的宗教首都。沙烏地阿拉伯的氣候炎熱乾燥，而塔伊夫坐落在海拔一千五百公尺的蓋茲旺山上，氣候涼爽。每逢夏日，王室和政府均遷到這裡辦公，塔伊夫於是成為該國的夏都。

古羅馬的「長城」

　　全世界都知道中國有個萬里長城，其實，古代的羅馬人也曾經修築過長城。羅馬帝國曾稱雄歐亞非大陸，把地中海變成了羅馬的內湖。但是，羅馬和古代的中國一樣，面臨著遊牧民族的侵襲。為了抵禦外族入侵，羅馬皇帝曾下令修築了多條長城，如黑海沿岸、多瑙河流域的「日耳曼防線」，以及大不列顛島上的「哈德良長城」和「安東尼長城」等。

　　日耳曼防線也叫「羅馬壁壘」。當時的羅馬皇帝為了防止日耳曼人南侵，便動用大批人力、物力在黑海沿岸、多瑙河以及萊茵河流域修築了幾道巨大的土牆，總長約五百公里。「長城」起自萊茵布洛爾，經科布倫茨、美因茲、海德堡，最後到雷根斯堡為止，途經六十多個主要城鎮。「日耳曼防線」是由土牆、石牆、壕溝、柵欄及九百座簡易瞭望塔、一百二十多個大大小小的軍營組合而成。起初，簡易瞭望塔都是用木頭建造

的，後來的一些瞭望塔主體結構用石磚建成，但頂部依然是木質結構。公元二六〇年後，在異族的不斷進攻下，古羅馬帝國再也無法統治遼闊的疆土，「日耳曼防線」也日益衰敗。

在英格蘭和蘇格蘭之間，有一條逶迤的土牆，被稱為「哈德良長城」或「羅馬長城」。西元四三年，羅馬人入侵不列顛，不列顛成為羅馬帝國的四十五個省份之一。哈德良是古羅馬的皇帝，他對外採取謹守邊境政策，對內加強集權統治。當時羅馬帝國只占領了不列顛島的英格蘭，而北方的凱爾特人屢次進犯羅馬人的占領地。為了抵禦北部凱爾特人對不列顛島南部的入侵，哈德良皇帝親自來到大不列顛視察，並下令修建長城。三個羅馬軍團歷時約六年，終於修起了這條長城。

哈德良長城東起泰恩河口，橫貫英格蘭，抵達西海岸的索爾維灣，全長一百一十七公里。當然，與中國的萬里長城相比，它只能叫「短城」。哈德良長城最初由泥土築成，後來又砌上石塊。城牆南北兩側挖有壕溝，約三公尺寬。長城與南溝之間有一條軍用道路，是連接東西的要道。長城沿途建有十六座城堡，每隔一英里建有一座碉堡，所以也被稱做「里程碑」。在碉堡之間有

兩座小角樓，供士兵用來休息隱蔽。在英國豪斯戴德有座最著名的羅馬城堡，在此可看到當年羅馬人的軍部、糧倉、兵營、醫院、塔樓等。經過一千多年風雨的侵蝕，哈德良長城早已破敗不堪，只留下少數斷壁殘垣和殘存的基座。

現在，位於德國境內的日耳曼防線和英國境內的哈德良長城都已經被列為世界文化遺產。

珠穆朗瑪峰名稱的由來

　　喜馬拉雅山脈終年冰雪覆蓋，一座座冰峰如倚天的寶劍，一條條冰川就像蜿蜒的銀蛇，「喜馬拉雅」在藏語中就是「冰雪之鄉」的意思。這裡海拔在七千公尺以上的高峰有五十多座，八千公尺以上的有十六座，著名的有南峰、希夏邦馬峰、干城章嘉峰。其中的最高峰，就是位於中國和尼泊爾邊界上的珠穆朗瑪峰。藏語「珠穆」是女神之意，傳說珠穆朗瑪峰是長壽五天女居住的宮室。

　　一七〇九年，清朝的康熙皇帝命令當時的駐藏大臣測製西藏地圖，可惜繪製的地圖沒有留存下來，圖上是否標注有珠穆朗瑪峰很難確定。一七一四年，清政府從北京派出曾在欽天監學過數學的理藩院主事勝住、喇嘛楚爾沁藏布和蘭本占巴，專程進入西藏測繪地圖。他們在交通極為困難的條件下，深入到珠穆朗瑪峰下，採用經緯圖法和梯形投影法，對它的位置和高度進行初步的

測量。在一七一七年間完成的《皇輿全覽圖》上，明確地標上了珠穆朗瑪峰的位置，並定名為「朱母郎馬阿林」。「阿林」就是「山峰」的意思。這份地圖於一七一九年製成滿文銅版，一七二一年製成漢文木版，一七三三年又在歐洲製成法文地圖。

珠穆朗瑪峰

在這些地圖上，珠穆朗瑪峰以滿、漢、法等不同文字出現，並確定了它的名稱。這份地圖可以說是關於珠穆朗瑪峰最早的歷史文獻。如果說對珠穆朗瑪峰的發現是指對這座山峰首次進行測量並將其記載標明在地圖上的話，那麼勝住、楚爾沁藏布和蘭本占巴三人，應該最有資格被稱為珠穆朗瑪峰最初的發現者。在一七六〇年到一七七〇年的《乾隆十三排地圖》上，它被標為「珠

穆朗瑪阿林」，一七九五年的《衛藏通志》標注為「珠
木朗瑪」，一八二二年的《皇朝地理圖》和一八四四年
的《大清一統輿圖》上都標名為「珠穆朗瑪」。

　　西方人多稱此山峰為額菲爾士峰，以紀念英國占領
尼泊爾時，員責測量喜馬拉雅山脈的英屬印度測量局局
長喬治‧額菲爾士爵士。珠穆朗瑪峰在尼泊爾王國又被
稱為薩迦瑪塔峰，意思是「地球制高點」或「天空之
神」。

古老的絲綢之路

中國是養蠶織帛最早的國家,由於中國的絲綢聞名於世,所以被譽為「絲綢之國」。據史學家考證,中國養蠶的歷史早在六千年前就開始了。在四千年前,中國人民不僅能養蠶,還能繅絲並能織出最原始的帛。到商代,作為手工業的蠶絲業已較發達,在織帛技術和品種上均有很大的改進與提高。

大約在商周時期,中國的絲綢就已經從西北陸路輾轉販賣到歐洲。德國地質學家李希霍芬男爵在經過長期考察後,首先把中國古代對外絲綢貿易的通道稱為「絲綢之路」。

古代的羅馬人非常喜歡絲綢製作的衣服,讓羅馬帝國的人感到困惑的是:中國人是如何從樹葉上採下非常細小的「羊毛」的。西元前一世紀,埃及女王克麗奧帕特拉曾穿著當時尚屬罕見的輕軟透明的絲綢衣服,在眾人面前炫耀她的華貴和美麗。羅馬共和國的軍事統帥愷

撒去羅馬大劇場看戲時，由於炎熱，他身上只穿一件絲綢長袍，那美麗的絲綢衣讓羅馬人羨慕不已。當時，羅馬絲綢的價格曾經達到十二兩黃金一磅，但仍然阻擋不了貴族們對絲綢的渴求。羅馬的貴族男女狂熱地迷戀絲綢服飾，使得千金難求的絲綢價格不斷上漲。

那麼，羅馬人是如何得到中國的絲綢的呢？

原來，古羅馬的絲綢全是由波斯商人轉運過去的。波斯商人不想放棄作為中介商獲取的巨大利潤，竭力隱瞞絲綢的真實產地，所以當時羅馬人不知道絲綢是如何製造出來的。

西元前二世紀時，漢武帝劉徹為打擊匈奴，派遣張騫出使西域，準備聯合西域各國合擊匈奴。張騫兩次出使西域，先後到達烏孫、大宛、康居、大月氏、大夏、安息、身毒等國。為了促進西域與長安的交流，漢武帝招募了許多身分低微的商人，由西漢政府分配給他們大量的絲綢等貴重貨物，讓他們到西域各國經商。這些具有冒險精神的商人大部分成為了富商巨賈，從而吸引了更多人從事貿易活動，極大地推動了中原與西域之間的物質文化交流。上至王公貴族，下至平民百姓，都在這條路上留下了自己的足跡。這條絲綢之路，將中原、西

域與波斯、羅馬緊密地聯繫在一起。經過幾個世紀的不斷發展，絲綢之路向西伸展到了地中海地區。

　　絲綢之路促進了東西方的經濟文化交流，對漢王朝的興盛產生了積極作用。直到如今，絲綢之路仍是中國與西方交往的一條重要通道。

雄偉壯觀的錢塘江潮

錢塘江位於浙江省北部，是中國東南沿海的一條著名河流。提起錢塘江，人們自然會想到「天下奇觀」——錢塘江潮。錢塘江潮的潮頭高達八公尺左右，潮頭推進速度每秒近十公尺，洶湧澎湃，猶如千軍萬馬齊頭併進，發出雷鳴般的響聲。宋代大文豪蘇東坡曾寫過「八月十八潮，壯觀天下無」的詩句，讚美錢塘江潮的壯觀。

探索地理未解之謎

錢塘江大潮

為什麼錢塘江大潮會如此壯觀呢？

海水之所以漲潮，是因為受到了太陽和月亮引力的影響。由於月亮離地球比較近，對潮水的影響更大一些。每月陰曆的初一和十五，地球、月球和太陽的位置處於一條直線上，月亮和太陽對地球的引力最大，海潮也就大些。

錢塘江外寬內窄，像個大喇叭。杭州灣口有一百公里寬，進入海寧鹽官鎮江面就僅有三公里了。湖水到了海塘，水面越來越窄，水位迅速提高；加上橫擋著一條沙壩，海水前進的速度減慢，後面的潮水湧上來後，好像碰到了一堵牆。所以錢塘江秋潮開始像一條白練，從遠處滾滾而來，隆隆作響；漸漸變成一堵高牆，奔騰咆哮。

　　不過，世界上有好些江河的河口也是外寬內窄，為什麼潮水不像錢塘江大潮那樣壯觀呢？原來，大潮的出現與河水流動的速度也有關係。當潮水湧來時，它的前進方向和河水流動的方向是相反的。中秋前後，錢塘江河口的河水流速與潮水流速幾乎相等，力量相等的河水與潮水一碰撞，就激起了巨大的潮頭。另外，浙北沿海一帶，夏秋之交常吹東南風或東風，風向與潮水方向大體一致，也助長了潮水的聲勢。

　　為什麼錢塘江大潮都是出現在陰曆十八日左右，而不是陰曆十五日呢？這是因為海底的地形十分複雜，再加上海水運動有一定的黏滯性，所以海潮推後了一些時間，到十八日左右才達到最高潮。

　　總之，錢塘江大潮形成的原因不是單一的，而是受到了天文和地理各種綜合因素的影響。

陰謀造就的鄭國渠

　　鄭國渠是戰國時候的韓國人鄭國主持修建的，全長三百餘里，由渠首、引水渠、灌溉渠三部分組成，形成了完整的自流灌溉系統。這在中國古代水利史上，甚至在世界歷史上都是屈指可數的，其科學性、合理性為今天的水利專家們讚嘆不已。然而誰能想到，這個著名的水利工程竟然是一場陰謀的產物。

　　戰國末年，秦國的實力最為強大，不斷向東方各國發起進攻。當時，韓國離秦國最近並且國力較弱，是秦國第一個要吞併的對象。為了減輕秦國對韓國的威脅，西元前二三七年年，韓國的著名水利專家鄭國奉韓王密令，前往秦國遊說秦王興修水利工程，以達到「疲秦」的目的。

　　秦王不明白鄭國的真正意圖，就採納了鄭國的建議，並開始徵集民工、物料，命鄭國主持開鑿一條人工水渠，引涇河水灌溉關中平原，最後渠水注入洛水。鄭國經過周

密調查，決定在仲山西麓水流湍急、地形複雜的瓠口（今陝西涇陽縣船頭村西北）修築一座攔河大壩，以抬高涇水水位。在大壩右側沿北山南麓開渠導水，引涇水沿山腰水渠向東南流去，最後在蒲城縣的晉城村注入洛水。

修建鄭國渠耗費了秦國大量的人力、物力，造成秦國兵員減少，財力被大量消耗。這時，秦王才明白鄭國為秦國興修水利，名為幫助秦國富強，實為消耗秦國的實力。秦王一怒之下，想把鄭國殺掉。鄭國臨危不懼，向秦王說明了修渠的好處，請求秦王讓他完成這個工程。秦王覺得鄭國言之有理，便沒有殺他，繼續讓他主持這項工程。

十年之後，這項偉大的工程終於竣工了。關中地區的土地本來是鹽鹼地，農作物產量很低。而涇河水渾濁，挾帶的泥沙中含有豐富的有機質，既能增加土壤的肥力，又能降低耕地中的鹽鹼含量，從而大大提高了農作物的產量，給秦國帶來源源不斷的財富。從此以後，關中變成沃野千里、沒有凶年的好地方，秦國也因此更加富強。

為了紀念鄭國的功績，當時的人們就把這條渠命名為鄭國渠。西元前二三〇年，秦王嬴政發動了統一全國的戰爭。具有諷刺意味的是，秦國最先滅掉的國家正是策劃「疲秦」陰謀的韓國。

赤壁為什麼遠離長江

　　從黃州古城的漢川門出去，可以看到北面有一個陡峭的岩壁，因為山石顏色赤紅，所以名叫「赤壁」。北宋著名文學家蘇東坡因為受奸臣陷害，被貶謫到黃州，常在此寫詞作賦，先後寫下了《前赤壁賦》和《後赤壁賦》，還有千古傳頌的名詞《念奴嬌・赤壁懷古》。後人因此將黃州赤壁和蘇東坡的名字聯繫在一起，稱之為東坡赤壁。

　　蘇東坡在詞中寫道：「亂石穿空，驚濤拍岸，捲起千堆雪。」生動地描寫了赤壁的景色。千百年以來，許多人一直誦讀著這首詞，想像著黃州赤壁壯麗的風光，神往不已。可是許多慕名前來參觀的人卻沒想到，當他們來到東坡赤壁時，只見赤壁下是一個小小的池塘，外面連接著一大片平地。這裡人煙稠密，高樓林立，一派城市的繁華景象；赤壁傍的鶏窩湖也是良田沃野，一片田園風光。長江大堤遠在赤壁一公里之外，這裡根本沒

有蘇東坡的詩文中描寫的驚濤拍岸的景象。難道詩文中那些美景只是蘇東坡的激情想像嗎？

可是，只要仔細察看赤壁睡仙亭下面的崖壁，就可以發現有許多古時船篙撐鑿的孔洞，說明曾有船在崖壁下經過，證明這裡曾經緊挨著大江。

為什麼昔日驚濤拍岸的赤壁，今天卻遠離了長江呢？地質學家們經過仔細考證，終於解開了這個謎題。

宋朝的時候，長江自三峽向東奔流，到達江漢平原。這裡沃野千里，一馬平川，水流十分平穩。但是當江水流到赤壁一帶時，由於江岸兩邊是陡峭的石壁，赤壁磯又迎面攔住了江水，江水猶如進入了一個瓶頸。江流開始變得湍急，奔騰咆哮，形成「驚濤拍岸，捲起千堆雪」的壯觀景象。

隨著時光的變遷，赤壁磯上游的江面開始有沙洲出現，逐漸形成淤積現象。一部分江面被泥沙包圍，形成了一個湖泊，被稱為磯窩湖，也叫雞窩湖。明朝的黃州府城地圖中，就清楚地繪出了雞窩湖的形狀。從該圖中還可看出，赤壁磯下游也開始出現沙灘陸地。

到了清朝的時候，赤壁已經遠離長江，赤壁磯下全部變成了陸地。一八四八年，為了防禦江水，黃州知府

下令在赤壁外的江邊修築赤壁堤。一九五四年夏天，長江發生特大洪水，黃州江堤崩潰。大水退去後，政府迅速修復了江堤，此後又多次對大堤增高加固，赤壁就成了現在的樣子。

由此可見，蘇東坡描寫的美景確實存在過。

國家圖書館出版品預行編目資料

探索地理未解之謎 / 譚龍曼編著. -- 修訂 1 版. --
新北市：黃山國際出版社有限公司, 2023.08
　　面；　　公分. --（百科探索；002）
ISBN 978-986-397-143-6（平裝）
1.CST：百科全書 2.CST：青少年讀物

　　　047　　　112009005

百科探索 002
探索地理未解之謎

編　　著　譚龍曼
印　　刷　百通科技股份有限公司
　　　　　電話：02-86926066 傳真：02-86926016
出　　版　黃山國際出版社有限公司
　　　　　220 新北市板橋區縣民大道 3 段 93 巷 30 弄 25 號 1 樓
　　　　　電話：02-32343788　　傳真：02-22234544
E-mail　　pftwsdom@ms7.hinet.net
總 經 銷　貿騰發賣股份有限公司
　　　　　新北市 235 中和區立德街 136 號 6 樓
　　　　　電話：02-82275988　　傳真：02-82275989
　　　　　網址：www.namode.com
版　　次　2023 年 8 月修訂 1 版
特　　價　新台幣 320 元（缺頁或破損的書，請寄回更換）

I S B N： 978-986-397-143-6